La perspective sans peine

Volume I/ 1er chapitre
Bases

Benedikt Taschen

A Shirley Porter

Remerciements

Lorsque les éditions North Light me demandèrent si je ne voulais pas écrire une série de manuels sur la perspective, je fus très intéressé et dis d'un œil pétillant: «Et comment!». Je pensais que la perspective était un jeu d'enfant et que je pouvais m'acquitter de cette tâche en quelques semaines. Aujourd'hui, plusieurs mois après et revenu quelque peu à la raison, il me paraît évident que ce premier abord d'apparente facilité cache plus de choses. Il existe de gros livres sur la perspective qui vont au fond de la mathématique et du mystère de ce sujet. Mon travail a été d'offrir des petits volumes qui laissent de côté l'aspect de mystère pour se concentrer sur les aspects de la perspective que l'on doit connaître dans le domaine des arts plastiques. Si vous êtes architecte ou ingénieur, ces livres ne vous seront d'aucun intérêt. En revanche, si vous voulez peindre ou dessiner pendant vos loisirs ou dans votre travail, alors je crois que vous les trouverez utiles.

J'aimerais remercier deux personnes qui ont participé à la genèse de ces manuels: mon éditrice remarquable de la maison North Light, Linda Sanders, qui m'a constamment montré la direction que devait prendre mon manuel. Elle a vraiment collaboré à mes côtés au lieu de se tenir en retrait et d'accepter tout ce que je lui proposais. Je remercie également Shirley Porter qui a fourni quelques esquisses et qui, en plus, a contrôlé tous mes textes avant que je ne les donne à Linda en rayant sans pitié ce qu'elle jugeait moins intéressant. Je vous remercie beaucoup toutes les deux.

Perspective: Science de la peinture et du dessin dont le but est de donner aux objets représentés une apparence de profondeur et de distance ...

The Merriam-Webster Dictionary

© 1993 Benedikt Taschen Verlag GmbH,
Hohenzollernring 53, D-5000 Köln 1
© 1988 Phil Metzger
Titre original: **Perspective Without Pain** est paru en 1988
chez North Light/F&W Publications, 1507 Dana Avenue,
Cincinnati, Ohio 45207
Traduction française: Patricia Blotenberg
Printed in Germany
ISBN 3-8228-9669-1
F

Introduction

Vous êtes certainement dans la même situation que la plupart des peintres et vous essayez sûrement de toutes vos forces de faire apparaître une surface plane comme si elle avait de la profondeur. Vous regardez la scène tridimensionnelle qui se trouve devant vous et vous vous efforcez de la coucher sur votre papier ou toile bidimensionnelle d'une manière convaincante. Mais, quelquefois, vous êtes déçu. Un motif éloigné ne semble pas l'être sur votre papier ou, comparé à un autre, il semble avoir la mauvaise dimension de même qu'un bâtiment semble glisser de la feuille de papier.

Vous n'êtes pas le seul dans ce cas. Nous nous efforçons tous, pendant le processus d'apprentissage, de construire notre dessin d'une manière convaincante. De nombreux professeurs disent que tous nos problèmes de dessin disparaissent comme par enchantement quand nous commençons déjà par apprendre à mieux voir. Il semble que si vous voyez mieux, vous dessinez automatiquement mieux.

Je pense que cela est trop schématique. Quatre choses sont nécessaires pour bien dessiner:

1. Voir
2. Comprendre
3. Pratique
4. Technique

Voir

Voir signifie que l'œil regarde bien le motif à dessiner et analyse celui-ci comme une quantité de formes abstraites, de couleurs, de valeurs de lumière et de structures de surfaces.

Vous devez tourner le dos à ce que vous «savez» de l'objet. Un collaborateur des éditions North Light Books, qui enseigne le dessin figuratif, dit que les élèves dessinant un modèle sur une estrade, ont du mal à représenter correctement celle-ci. Ils «savent» que la base de l'estrade est un rectangle et ils ont tendance à la dessiner ainsi. Le résultat en est à peu près ce que représente le dessin **ci-dessus, à droite**.

Mais s'ils dessinaient ce qu'ils voient réellement et non pas ce qu'ils savent, alors ils parviendraient à quelque chose d'analogue à la seconde esquisse.

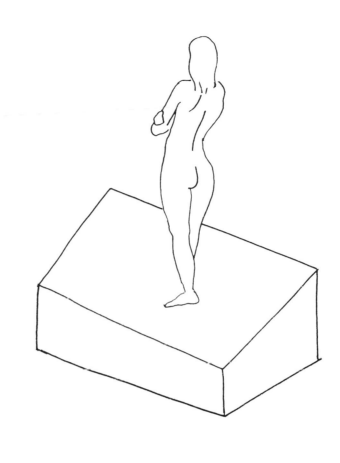

Introduction

Essayez d'oublier ce qu'est réellement l'objet. Au lieu de voir une personne sur une estrade, commencez par essayer de voir une combinaison de contours. Ne vous concentrez pas sur un bras replié ou une main sur la hanche comme **ci-dessous, à gauche**.

Tout d'abord, essayez plutôt de voir seulement des contours comme on vous le montre **ci-dessous, à droite**.

Vous remarquerez que le personnage se développe peu à peu, à mesure que vous saisissez les contours avoisinants. Une fois que les contours sont bien ordonnés, ajoutez de la couleur, des structures de surface, des ombres etc. Tandis que vous faites cela, ces apports vont vous forcer à recontrôler les contours que vous trouviez parfaits au début. Si vous avez à peu près réussi la «valeur» (le contraste entre clair et obscur) de l'espace compris entre le bras et le corps, par exemple, il se peut que le contour de cet intervalle ne vous paraisse plus juste. Dans un dessin, tout influence tout. Corrigez donc le contour une nouvelle fois et rejouez ce va-et-vient jusqu'à ce que vous soyez satisfait du motif que vous avez dessiné.

Comprendre

Comprendre signifie savoir quels sont les rapports qui existent dans l'objet que vous êtes en train de dessiner même si l'objet n'a pas une apparence tout à fait «correcte» de l'endroit à partir duquel vous le considérez. L'estrade du modèle est un bon exemple. Vous savez qu'elle est rectangulaire, mais ce que vous voyez n'est que ce contour oblique. Vous allez vous demander pourquoi on doit savoir quel contour a réellement une chose si l'intention est de la dessiner telle que vous la voyez. Rembrandt avait tout à fait saisi cela quand il disait: «Si tu veux dessiner une pomme, tu dois devenir une pomme toi-même!» Si vous voulez représenter quelque chose de convaincant, vous devez connaître très exactement votre motif. Il se peut que cela soit un peu plus simple avec une pomme qu'avec un modèle vivant. Une façon de voir exacte et abstraite vous met à même de représenter un motif avec une exactitude mécanique: la compréhension du motif vous donne la possibilité de lui donner une âme.

Pratique

La pratique est ce qui vous rend apte à bien utiliser votre capacité de voir et de comprendre. C'est l'entraînement dont vous avez besoin pour transformer en contours, couleurs, ombres et surfaces sur un morceau de papier ou une toile ce que vous voyez et ce que vous saisissez avec votre intelligence. Ces manuels vont vous offrir une grande quantité d'exemples pour concrétiser les pensées traitées.

Technique

Vous devez essayer de faire tout ce qui est nécessaire pour, d'une part, tirer profit d'autres techniques développées et éprouvées et, d'autre part, leur ajouter les vôtres à mesure que votre expérience grandira. On nomme perspective une série de techniques du dessin et de la peinture qui sont utilisées depuis des siècles par les artistes.

La perspective n'est qu'une série de techniques qui permet de dessiner une scène tridimensionnelle sur une surface bidimensionnelle. En d'autres termes, elle est le procédé qui suscite l'impression de profondeur que l'on a d'un dessin ou d'un tableau. Dans ces manuels, nous allons jouer avec différentes techniques de perspective. Elles sont toutes simples quand on commence à les connaître et elles devraient toutes faire partie du savoir fondamental dont tout peintre se sert automatiquement.

Pour rendre les techniques plus faciles à apprendre, je les ai subdivisées arbitrairement dans les chapitres suivants que nous examinerons les uns après les autres:
- Chevauchement
- Changement de dimension et d'espace
- Modelé
- Détails et contours
- Changement de couleur et de valeur
- Lignes de fuite

Les manuels

Cette collection comporte deux manuels. Dans ce premier manuel, je veux définir et expliquer les techniques de perspective particulières et proposer des leçons qui vous aideront à les utiliser. Dans le deuxième manuel, nous nous pencherons plus spécialement sur la manière d'utiliser ces techniques dans des devoirs concrets de dessin et de peinture. Vous reconnaîtrez alors bientôt que vous ne pourrez pas toujours utiliser une seule et

unique technique. Dans de nombreuses compositions, il vous en faudra plusieurs. Nombre d'exemples et d'exercices s'appuieront sur plus d'une technique. Les manuels suivent une démarche claire qui consiste à aller des thèmes de base à des thèmes plus complexes si bien qu'il est recommandé de travailler les livres dans l'ordre. Il est conseillé de n'omettre aucun exercice. Si quelques-uns d'entre eux vous semblent trop faciles pour vous en préoccuper, chacun offre pourtant quelque chose qui permet d'améliorer considérablement votre capacité à comprendre la perspective.

Le matériel nécessaire

Les choses dont vous avez besoin sont bon marché et simples. Tout d'abord

quelques crayons (2B-tendre, HB-moyen et 2H-dur suffisent) ou, si vous préférez, du fusain, un peu de papier-calque, une règle de temps en temps, des crayons de couleur (ou des peintures à l'eau ou des pastels), des ciseaux, du carton fort, une pince pour le papier, une lampe ainsi que toutes sortes de petites choses que vous avez vraisemblablement chez vous. Vous n'aurez presque jamais besoin de papier, car, en général, les dessins doivent être faits directement dans les manuels.

Le support de dessin

Que vous soyez en train de peindre ou de dessiner sur une feuille de papier ou sur une toile, à plat sur une table ou bien obliquement sur un pupitre ou un chevalet: vous devez vous imaginer que le pa-

pier ou la toile se trouve verticalement entre vous et les choses que vous dessinez ou peignez et que vous voyez directement au travers du papier ou de la toile et que c'est uniquement à travers eux que vous dessinez.

Cette surface imaginaire est nommée *surface du dessin* et c'est à celle-ci que je me référerai dans ces manuels. Quand, par exemple, je parle d'un objet qui se trouve «parallèlement à votre surface du dessin», je ne veux pas dire par là: parallèle à votre papier à dessin réel ou à votre toile que vous pouvez tenir dans l'angle qui vous semble bon, mais je veux dire la surface du papier ou de la toile telle qu'elle apparaîtrait si elle se trouvait verticalement entre vous et votre motif.

La figure **ci-dessous** illustre encore une fois cette pensée.

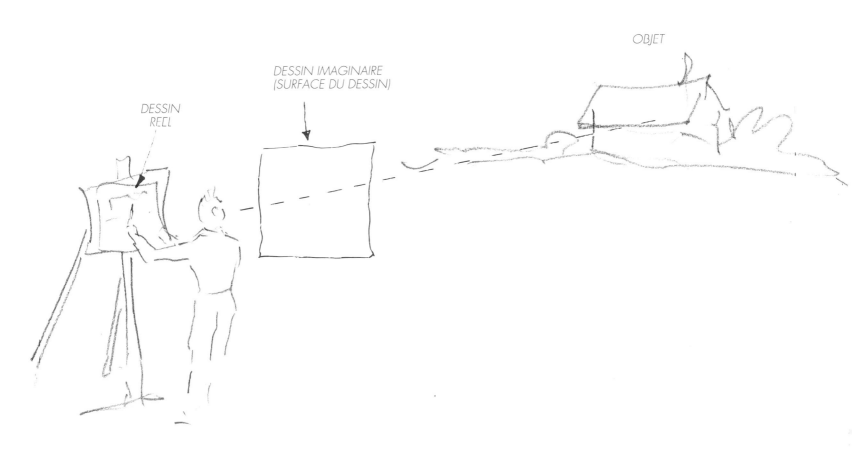

DESSIN RÉEL

DESSIN IMAGINAIRE (SURFACE DU DESSIN)

OBJET

Introduction

Nous commençons

Il est rare que vous peigniez un motif sans que quelque chose bouge avant que vous n'ayez terminé le travail. Un modèle vivant n'est pas tranquille et change un peu de place, une vache refuse de rester assez longtemps sans bouger pour que vous puissiez en ébaucher le portrait ou même seulement la silhouette dans le pré; l'eau dans le ruisseau ne veut pas rester tranquille non plus. Vous n'avez pas beaucoup d'influence sur de telles choses et, par conséquent, vous devez faire au mieux.

Mais, il y a encore quelque chose qui bouge: vous-même. Forcément, vous changez quelque peu votre position et vous n'êtes pas tranquille. Et chaque fois que vous le faites, vous changez ce que vous voyez. Si vous bougez la tête légèrement sur la gauche ou sur la droite par exemple, alors vous ne voyez pas tout à fait comme avant ce bâtiment-ci, cette nature morte-là ou ce modèle là-bas. Plus vous serez près de ce que vous peignez et plus un centimètre de mouvement de votre tête aura de conséquence.

C'est une bonne idée de marquer votre position d'une manière ou d'une autre au début de la séance afin que vous puissiez la reprendre à tout moment après un arrêt ou un changement de position. Il y a là différentes possibilités: d'un côté, vous pouvez marquer très concrètement où se trouvent vos pieds en tirant un trait de contour autour de vos chaussures (ou de vos pieds si vous ne portez pas de chaussures) au fusain sur le sol ou avec un bâton dans le sable.

D'un autre côté vous devriez commencer par placer quelques points importants sur votre papier ou votre toile montrant comment vous voyez un certain point de détail du motif. Contrôler votre position à tout moment vous est alors possible si vous regardez le motif avec attention et voyez si les détails que vous avez marqués au début sont encore corrects. Regardez bien si l'arbre ou l'arête de la grange sont toujours dans les bonnes proportions les uns par rapport aux autres. Pouvez-vous toujours aussi bien voir la même partie de l'étiquette qui se trouve sur la bouteille de vin qu'au début de votre observation?

Y a-t-il encore un intervalle entre le plat et la bouteille ou semblent-ils maintenant se toucher ou se chevaucher?

Troisièmement: marquez l'emplacement de votre chevalet. Si vous ne cessez pas de changer la position de votre papier ou de la toile, vous ferez tourner votre corps pour l'adapter à la nouvelle situation et vous ne remarquez pas qu'en même temps vous changez aussi votre position par rapport à votre modèle.

Après avoir clairement défini dans quelle position vous voulez placer votre tête pendant la séance de dessin, il y a encore autre chose de nécessaire: vous devez vous représenter précisément l'endroit dans lequel vous voulez placer ce dessin dans son ensemble sur votre papier ou toile. De nombreux artistes font de petites esquisses rapides avant d'entreprendre l'œuvre entière. D'autres font de légers marquages d'essai sur le papier ou sur la toile à l'aide de fusain, de peintures fortement diluées ou d'autres crayons à dessin effaçables. Quoi que vous choisissiez, il est crucial que vous fixiez les limites extérieures de votre motif. Vous ne faites pas cela seulement parce que vous voulez être sûr que le dessin que vous avez en tête tient sur le papier mais pour le «voir» tout de suite en rapport avec les bords du papier. Dans le dessin ou la peinture, chaque ligne ou chaque trait que vous tirez, que vous soyez sûr ou non de ce que vous faites, sera placé par rapport aux bords de votre surface de dessin. Dès ces premiers instants, vous devez être sûr que le motif va bien sur la surface que vous lui avez attribuée, que vous ne dépassez pas les délimitations et que vous êtes satisfait de l'endroit où les grands contours seront placés dans l'intérieur du dessin.

Un ami

Vous avez besoin d'un ami à bien des égards. Si vous êtes artiste, vous avez besoin de quelqu'un qui veut et peut critiquer ce que vous avez fait sans avoir peur d'être assassiné à cause de cela à la suite. Le niveau artistique que vous avez ne joue aucun rôle – même les très professionnels les plus expérimentés peuvent faire des gaffes qu'ils ne remarquent pas, mais qui sautent tout de suite aux yeux d'un observateur neutre. Si vous vous préoccupez par exemple de la perspective linéaire, il se passe une foule de choses dont on ne perçoit qu'elles soient «justes» ou «fausses» mais seulement «justes, d'après ce que l'on en a». Et ce qui

«Initiation d'un jeune artiste», Honoré Daumier, National Gallery of Art, Washington; donation Duncan Phillips

raît juste après le travail d'un dessin si long qu'il vous est impossible de le considérer d'un œil impartial, peut paraître complètement faux à un ami qui le voit pour la première fois.

Un tel ami est d'une valeur inestimable. Je ne sais pas comment on peut s'en sortir sans avoir une personne comme cela. C'est comme un avocat qui vous préserverait de la prison. Bien sûr, un époux sans expérience artistique peut souvent remplir cette fonction en grande partie, mais il serait mieux de trouver quelqu'un d'expérimenté et naturellement dont vous respectez l'opinion.

Chevauchement

Dans le passage suivant du manuel, on parlera à fond de chacune des six techniques de perspective: chevauchement, changement de dimension et d'espace, modelé, détails et contours, changement de couleur et de valeur ainsi que des lignes de fuite.

Commençons par le chevauchement: supposons que vous deviez risquer votre dernière pièce de monnaie dans un pari qui vous demanderait quel objet est le plus près de vous sur le dessin **ci-dessus à droite**. Seriez-vous en mesure de gagner? En effet, il n'y a pas moyen de le savoir à 100% sans avoir d'indication. Le carton et le ballon pourraient se trouver l'un à côté de l'autre ou le carton pourrait être si loin qu'il semblerait être presque aussi petit que le ballon.

Le chevauchement des deux objets pourrait donner une indication. Sur la deuxième esquisse, j'ai tout simplement mis la balle devant le carton en cachant des parties du carton avec le ballon. On obtient ainsi une impression immédiate de profondeur qui manquait avant.

Chevauchement

La situation est semblable dans l'exemple (**p.7**). Est-ce que l'arbre est petit et plus près de l'observateur que la barrière? Cela se peut, mais, d'un autre côté, cela pourrait être un grand arbre loin derrière la barrière. Il est facile de décider quel est l'objet qui se trouve le plus loin grâce au chevauchement mutuel. Prenez un morceau de papier-calque, refaites en gros les contours de l'arbre et déplacez le papier vers la droite de telle sorte que le contour de l'arbre se trouve en partie sur la barrière. Faites apparaître l'arbre devant la barrière en ébauchant seulement les parties de la barrière que l'on pourrait voir des deux côtés de l'arbre. Essayez alors de faire le contraire: dessinez d'abord la barrière, déplacez le papier sur la gauche et dessinez les parties de l'arbre qui ne sont pas cachées par la barrière.

Quelquefois, les chevauchements que vous mettez en évidence ne sont pas si manifestes. Dans l'étude d'arbre **ci-dessous**, le positionnement de branches devant d'autres branches est important. S'il n'y avait pas de branches en saillie et d'autres plus en arrière, alors l'arbre ne serait qu'une silhouette sans aucune profondeur. Grâce à un déplacement simple des objets qui a pour but de les faire se chevaucher, on chasse tous les doutes quant à leur situation relative et on obtient un effet de profondeur supplémentaire. Si vous ne pouvez pas déplacer un motif dans la réalité comme l'arbre ou la barrière, vous avez, dans votre peinture, la parfaite liberté de le faire. Pourquoi peindre comme si vous étiez esclave de ce que vous avez devant les yeux? Utilisez chaque scène comme point de départ et amusez-vous à ajouter, enlever et changer ce qui vous est présenté. A la seule exception d'un portrait peut-être, vous n'êtes jamais forcé de tout peindre fidèlement d'après la réalité.

Dans chaque illustration, quatre boîtes ont été dessinées d'un trait léger sans indication qui permette de savoir quelle boîte est devant et quelle boîte est der-

rière. Utilisez des chevauchements pour faire reculer quelques boîtes et faire avancer d'autres boites. Commencez tout d'abord par tirer toutes les lignes d'une boite en particulier. Dessinez ensuite les lignes d'une autre boîte mais sans tracer celles qui viendraient derrière la boîte que vous avez dessinée en premier. Dessinez la troisième et la quatrième boîte de la même facon. Faites en sorte que, dans chaque dessin, ce soit une autre boîte qui se trouve au premier plan. Observez bien que la boîte représentée ici comme la plus petite peut très bien être la plus grande si vous en faites tout simplement celle qui se trouve la plus éloignée. La façon dont vous placez les boîtes les unes par rapport aux autres donne à l'observateur une foule d'informations sur la dimension de chacune de ces boîtes en particulier.

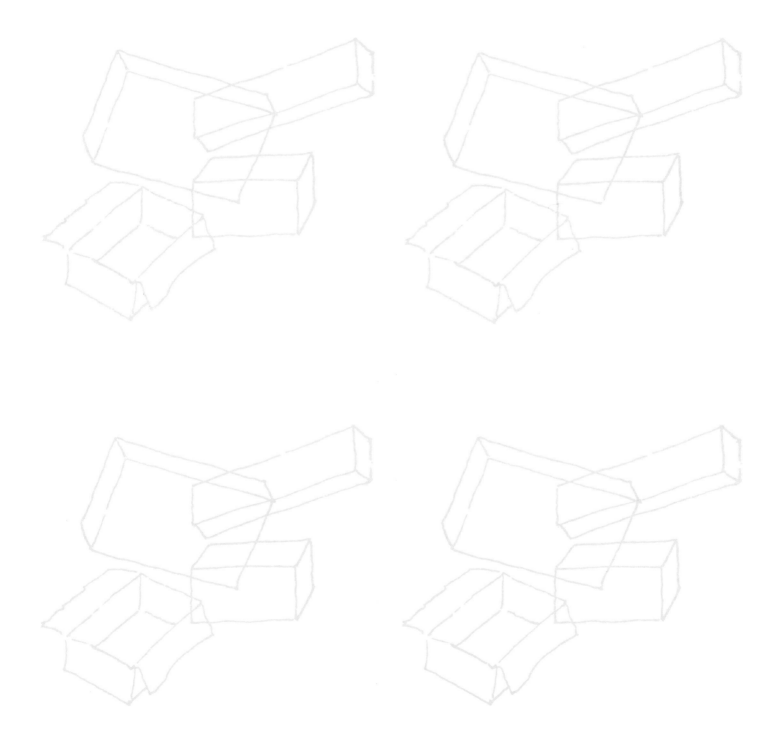

Changement de dimension et d'espace

Ici, on a aligné quelques palis dans le paysage. La rangée **supérieure** des palis ne donne pas de profondeur au dessin.

Mais supposons que nous changions les dimensions relatives de telle sorte que nous obtenions quelque chose de semblable à ce qui est illustré **ci-dessous**. Il ne fait aucun doute que le palis le plus à gauche est celui qui est le plus près de l'observateur et ceux qui sont à sa droite «s'éloignent» de plus en plus. C'est le

moment psychologique de la manière dont nous voyons les choses: quand on sait que des objets particuliers ont normalement la même dimension, mais que l'on voit un dessin sur lequel ces objets sont de différentes grandeurs, on a automatiquement l'impression, inconsciemment, que certains de ces objets sont plus loin que d'autres.

Il y a encore une différence entre les deux esquisses. Sur la première, les palis

ont plus ou moins le même intervalle. C'est ainsi qu'ils sont plantés habituellement. Par contre, sur la deuxième esquisse, j'ai laissé un intervalle entre les palis qui est moindre à mesure que leur éloignement apparent grandit. Cela aussi c'est la façon dont nous voyons les choses. La grandeur de tous les objets, y compris des intervalles entre eux, semble s'amoindrir dès que leur éloignement par rapport à l'observateur grandit.

Tout en bas, vous avez encore un exemple de changement de dimension et d'éloignement.

Vous pouvez aussi tester des changements de dimensions et d'intervalles sur votre bureau, sur la table ou sur le sol. Rassemblez une demi-douzaine d'objets ou plus d'une grandeur à peu près analogue: craie à dessin, pile de lampe de poche, bobines de fil, bref, tout ce que l'on peut poser verticalement. Mettez-les en ligne, tout droit, en gardant toujours le même intervalle. Puis posez le menton sur le dessus de table ou sur le sol, près du début de la rangée et examinez les objets alignés. Vous verrez que le plus éloigné semble être plus petit que celui qui est le plus rapproché et que les intervalles réguliers entre les objets paraissent inégaux.

Louis Caravaglia, photographe; compagnie de ballet Lake Erie

Si on parcourt du regard une voie de chemin de fer, on peut constater que plus la voie s'éloigne et plus les traverses se rapprochent. D'autres choses rapetissent aussi. L'angle postérieur de la gare paraît plus petit que l'angle antérieur, les voies semblent être de plus en plus étroites au fur et à mesure qu'elles disparaissent dans le lointain; de même, les graviers qui se trouvent entre les voies au premier plan sont «plus gros» et on peut les

voir plus distinctement que ceux qui se trouvent dans le lointain. Même si on sait qu'en apparence les objets deviennent de plus en plus petits quand ils s'éloignent, quelquefois, on n'ose pas insister sur les différences de dimension entre les objets les plus proches et les plus éloignés quand on dessine, par exemple, une rangée de poteaux ou une clôture qui s'en va dans le lointain.

Jetez un regard rapide sur l'exercice 4

de la page 25. Le palis tout à gauche à côté de la boite aux lettres est presque aussi haut que la grange! Vous ne me croyez pas? Remesurez avec une règle! Vous verrez que la grange n'est pas bien plus haute que le palis. Mais cela n'est pas tout: la boîte aux lettres est effectivement plus grande que la maison! Et pourtant, tant la barrière que la boîte aux lettres font bonne impression dans le dessin ou n'êtes-vous pas de cet avis?

Mesurer

Quand vous peindrez dehors ou que vous dessinerez une nature morte ou un portrait dans votre atelier, vous serez toujours en train de mesurer des choses. Vous devez mesurer la dimension des objets, leur distance, leur centre, leur grandeur les uns par rapport aux autres et ainsi de suite. Ce ne sont pas des dimen-

sions *réelles* dont vous devez vous soucier mais des dimensions *relatives*. L'outil le plus simple au monde pour de telles mesures (et celui que vous aurez le plus rapidement sous la main!) est votre pouce ainsi qu'un crayon ou un porte-plume, une règle ou une baguette.

Supposons que vous regardiez deux objets: un verre à vin et une carafe dans une nature morte que vous êtes en train de dessiner. Vous savez que la carafe est

environ deux fois plus haute que le verre – comme on peut le voir à la **page 12** – mais que le verre est au premier plan, donc plus près de vous que la carafe. C'est pourquoi, sur votre dessin, le verre ne sera pas moitié moins haut que la carafe mais un peu plus de la moitié. Combien de plus? Vous n'avez pas besoin de le savoir au centimètre près. Tout ce que vous devez savoir, ce sont les hauteurs relatives.

Changement de dimension et d'espace

Placez-vous devant le chevalet et, le bras tendu, tenez quelque chose pour mesurer, comme un crayon gris par exemple. Fermez un œil (un seul, s'il vous plaît!) et visez le rebord supérieur du verre au-dessus de la pointe de votre crayon gris. Faites glisser ensuite le pouce le long du crayon jusqu'à l'endroit où il marque la base du verre (**ci-dessous, à droite**).

Voilà, on aurait ainsi la hauteur du verre. Maintenant, tout en gardant la position du pouce sur le crayon de papier, faites coïncider la marque du pouce avec le fond de la carafe. Maintenant vous voyez ce qu'indique la pointe du crayon et évaluez: quelle hauteur la carafe semble avoir de plus que le verre? Bien sûr, elle n'est pas deux fois plus grande, mais ça, vous le savez déjà. Non, elle ne semble pas non plus deux fois moins grande. Évaluez approximativement de tête. Peut-être la hauteur de la carafe est-elle une fois et demie celle du verre. Faites un trait fin sur votre dessin et contrôlez si les rapports de dimensions sont exactement reproduits. Si le verre fait dix centimètres de haut sur votre dessin alors votre carafe doit faire quinze centimè-

tres. Si cela ne devait pas être tout à fait exact, recommencez. Le fait de «mesurer» sans résultat précis en centimètres ou en mètres peut vous sembler quelque peu inhabituel.

Un vieil ami avec lequel je travaillais quand j'étais jeune avait l'habitude d'exprimer la largeur des trous de fondations que nous creusions en ces termes: «Cela fait environ six manches de pioche et un marteau!» Si, au début, vous avez quelques problèmes à faire de telles estimations, essayez de prendre un centimètre au lieu d'un crayon. Utilisez-le comme le crayon et notez bien où le pouce se trouve après avoir vu où se trouvait le sommet du verre. Admettons que le pouce se trouve à huit centimètres sur la règle. Faites la même chose maintenant avec la carafe. Si votre pouce arrive à douze centimètres cela signifie que la carafe que vous dessinez devrait être elle-même une fois et demie plus grande que le verre. Il est évident que votre dessin peut avoir n'importe quel format (par exemple un verre de soixante et une carafe de quatre-vingt-dix centimètres). Ce qui compte, ce sont les proportions – c'est-à-dire les dimensions relatives des choses.

Qu'apportent des proportions exactes? Ce que l'on peut en tirer est une illusion de profondeur convaincante – et, dans le fond, c'est ce dont il s'agit dans ces manuels. Prenez quelques minutes pour mesurer les dimensions relatives de choses que vous voyez autour de vous. Vous serez étonné de constater que maintes petites choses paraissent «grandes», tout simplement parce qu'elles sont plus près de vous que d'autres dont vous savez qu'elles sont plus grandes. Je suis assis ici et je mesure quelques objets dans mon bureau et je découvre ceci: mon pied gauche est environ moitié moins grand que la hauteur de ma commode munie de cinq tiroirs. J'ai de grands pieds, certes, mais tout de même! Et la fenêtre, au fond de la pièce, est tout aussi haute que mon crayon. Le bol de café à côté de moi est plus grand que la corbeille à papier, là-bas, près du mur. Quelle quantité de café!

Observez au cours de la journée les dimensions relatives des objets autour de vous. Un crayon ou un stylo à bille est toujours à portée de la main. Levez-le quand vous attendez aux feux. Comparez les dimensions relatives des voitures, des gens, des poteaux électriques. Ne vous occupez pas des feux. La queue de voitures derrière vous va bien appuyer sur le klaxon quand cela passera au vert pour vous dire d'avancer.

Complétez chacun des trois dessins de cet exercice de façon à ce que les dimensions et les intervalles entre des objets semblables s'amenuisent à mesure qu'ils semblent s'éloigner.

Il est quelquefois avantageux de tirer des lignes de repère comme je l'ai fait dans l'exemple de l'entrepôt pour que l'on puisse «incorporer» tous les objets comme par exemple une longue rangée de fenêtres entre les lignes. Mais utilisez ce moyen avec beaucoup de parcimonie pour que votre dessin ne paraissent pas trop figé.

Dans l'exemple de l'entrepôt, il est très vraisemblable que les fenêtres ont toutes la même dimension, mais dans l'exemple suivant, il n'est pas sûr que tous les policiers aient la même taille. Ne vous efforcez pas de faire absolument des agents de police, des fenêtres ou des lattes de barrière parfaits. Ce n'est pas le but essentiel de notre exercice. Il est bien plus important de reconnaître la nécessité du changement de dimension et d'espace pour obtenir une impression de profondeur.

Regardez l'exemple **ci-dessous**. Mais bon sang, que sont ces objets? Une noix bien plate et une pomme encore plus plate. Regardez maintenant **à droite** ce qu'un peu de modelé ou de mise en forme peut produire.

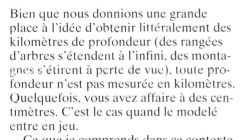

Bien que nous donnions une grande place à l'idée d'obtenir littéralement des kilomètres de profondeur (des rangées d'arbres s'étendent à l'infini, des montagnes s'étirent à perte de vue), toute profondeur n'est pas mesurée en kilomètres. Quelquefois, vous avez affaire à des centimètres. C'est le cas quand le modelé entre en jeu.

Ce que je comprends dans ce contexte par le terme de modelé est de donner une forme à un objet. Certes, on y parvient en partie par la conduite du trait, mais ce qui m'intéresse ici est la répartition des ombres. Que vous dessiniez une pomme, un entrepôt, un palis ou simplement une boîte rectangulaire, le modelé est nécessaire pour ébaucher une forme plastique et donner vie à un dessin. Il y a toute une série de bases fondamentales que vous devez observer quand vous voulez modeler un objet:

1. Déterminez très exactement où doit être la source lumineuse. Si vous peignez une scène réelle, le soleil ou toute lumière artificielle, comme par exemple une lampe, est votre source de lumière et la question de savoir d'où vient la lumière n'est pas un problème. Mais si vous inventez une scène ou que vous changez volontairement la position de la source lumineuse, vous devez noter où elle doit être et modeler ensuite les objets dans votre dessin par rapport à cela. Ne commencez pas à faire briller le soleil en haut, à droite pour oublier ensuite,

au milieu du dessin, où il était prévu, et modeler d'une autre façon en mettant de l'ombre dans la mauvaise direction.

Très souvent, je dessine en haut, à droite ou à gauche de mon dessin un petit cercle qui doit représenter la source lumineuse au cas où je ne serais pas sûr ou si je ne sais plus exactement. J'ajoute aussi une petite flèche dessinée en perspective pour retenir d'où vient la source de lumière.

2. Observez avec attention comment l'objet est modelé. Si, par exemple, la forme arrondie de la pomme se détourne de la lumière, vous allez peut-être vous attendre à ce que le bord qui se trouve en face de la lumière soit logiquement la partie la plus obscure de la pomme.

Mais il n'en est pas toujours ainsi. Il y a probablement d'autres sources lumineuses dans la pièce ou encore la lumière de votre source unique peut être reflétée par d'autres objets comme par exemple la nappe ou une autre chose à proximité. Cette lumière réfléchie peut atteindre la partie de la pomme qui se trouve à l'ombre et la faire paraître plus claire que vous ne vous y attendiez. En effet, il peut y avoir tant de lumière réfléchie ou de lumière provenant d'autres sources que l'on reconnaît des détails et des éléments compliqués dans une zone d'ombre que l'on pensait assez uniformément sombre.

Vous pouvez faire des expériences avec de tels trucs d'éclairage en mettant quelques objets dans une pièce obscurcie en vous aidant d'une seule lampe comme source lumineuse. Faites des mouvements de va-et-vient avec les objets et observez les effets de lumière quand celle-ci est réfléchie dans les zones d'ombre. Si vous avez l'occasion d'observer par exemple deux silos à céréales (ou n'importe quels autres grands objets brillants) l'un à côté de l'autre dans la clarté du soleil, regardez alors exactement le côté ombragé de l'un d'eux et cherchez là-bas la lumière réfléchie de l'autre objet. Après avoir peint des ombres pendant des années, une chose est claire pour moi maintenant: plus on est attentif à considérer une zone d'ombre, et plus on la trouvera intéressante. Les ombres ne sont pas mortes, au contraire, elles sont extrêmement vivantes.

Nous parlerons plus des ombres dans le manuel 2. Pour le moment je vous propose de prendre une pomme, de la poser sur quelque chose de blanc, d'obscurcir la pièce et de l'éclairer avec une seule lampe. Faites ensuite une grande quantité d'esquisses au fusain en essayant de conserver si possible les degrés délicats de la répartition des ombres qui donnent sa forme à la pomme. Placez la lampe dans des positions diverses et recommencez à faire des esquisses. Puis posez une tasse blanche à côté de la pomme et recommencez à dessiner en observant comment les reflets de la tasse influencent les ombres de la pomme.

Détails et contours

Admettons que vous vouliez faire une photo de votre grand-mère qui fait ses débuts de catcheuse. C'est un grand jour pour elle et vous voulez que cela réussisse. Alors vous tournez l'appareil-photo dans sa direction juste au moment où on la présente au milieu du ring. Vous réglez l'objectif pour que la photo soit nette et vous prenez la photo. Une fois la photo développée, vous voyez la mémé, pleine d'allant et impeccable à côté de l'arbitre. On peut facilement reconnaître

les détails que vous avez ajustés: la canine manquante de mémé, ses muscles rebondis, son short déformé, son bandeau rose. Mais le reste de la photo n'est pas aussi net. On peut discerner dans le lointain la foule des spectateurs, avide de sang, mais les formes deviennent de plus en plus estompées à mesure qu'on s'éloigne de la mémé. C'est à peine si l'on peut encore reconnaître les contours ombrés de l'arrière-plan du champ de bataille. Vos yeux fonctionnent de la

même façon. Vous pouvez régler votre vue sur des choses à une distance précise. Vous ne pouvez pas vous focaliser en même temps sur des objets proches et des objets éloignés. Regardez attentivement n'importe quel objet dans la pièce, disons votre pouce au bout de votre bras tendu. Qand vous avez réglé vos yeux sur le pouce, vous remarquez que toutes les autres choses dans la pièce se trouvent en dehors du secteur de netteté et dans quelle mesure vous pouvez reconnaître

de moins en moins de détails et de structures de surfaces des objets plus vous êtes éloigné de votre pouce.

Vous pouvez donner plus de profondeur à votre peinture ou à votre dessin en traitant une scène comme l'appareil-photo ou l'œil la verraient: Choisissez une distance sur laquelle vous voulez régler l'acuité et rendez de plus en plus flous, petit à petit, tous les objets qui se trouvent en dehors de cette distance. Pour parvenir à ceci, vous pouvez vous servir 1. de la décomposition du contour des objets éloignés et 2. de la représentation de très peu de détails d'objets éloignés.

Deux versions du même motif se trouvent **à gauche** : dans la première, j'ai tout dessiné avec netteté, aussi bien la nature morte que le papier mouvementé derrière. Dans la deuxième esquisse, on a une profondeur plus importante parce

que j'ai dessiné les choses plutôt comme l'apparail-photo ou l'œil les verraient normalement. Pour ce faire, j'ai mis l'acuité sur les objets les plus proches et j'ai rendu la distance plus floue et moins détaillée. Le dessin ne gagne pas seulement en profondeur mais il devient en même temps plus paisible.

Il en est de même dans l'esquisse **ci-dessous**: l'acuité est mise sur les objets les plus proches Les délimitations des choses les plus éloignées sont floues et les détails sont réduits au minimum.

La leçon est donc simple: pour obtenir de la profondeur dans votre dessin, peignez les choses comme vous les voyez en mettant des contours plus nets et plus de détails à une certaine distance et en faisant apparaître en même temps d'autres distances de plus en plus floues et moins détaillées petit à petit. A cc propos, il faut encore observer quelque chose qui

n'a, certes, rien à voir avec l'obtention de la profondeur, mais, par contre, beaucoup avec une peinture pleine d'effet: souvent, les peintres s'appliquent à exécuter le premier plan d'un tableau d'une manière très détaillée même si le premier plan ne se trouve pas au centre d'intérêt. Il n'y a à cela aucune raison valable. Si vous êtes en train de mettre la netteté d'une scène sur la distance moyenne, alors l'herbe à vos pieds n'est que floue. Si vous photographiez mémé sur le ring, les gens qui sont sur la photo entre mémé et vous sont imprécis, n'est-ce pas? Si, d'un autre côté, le premier plan doit former le centre de votre intérêt alors restez fidèle à vous-même et dessinez tous les petits brins d'herbe ou autre mais assurez-vous bien que tout le reste soit bien moins distinct et reconnaissable sur le dessin.

Exécutez avec soin le dessin de la **page 19** en utilisant soit un crayon, soit du fusain. Faites du bateau le centre d'intérêt et subordonnez-lui toutes les autres choses. Laissez les contours flous dans les domaines qui sont les plus éloignés du bateau et dessinez moins de détails à cet endroit.

Vous pouvez commencer par les ombres les plus légères qui sont tout au fond puis travailler les arêtes vives et les détails au premier plan ou vice-versa. Il serait bon de mettre en place une échelle de lumières et d'ombres dès le début afin de savoir où mettre, d'un côté, les secteurs les moins appuyés et les plus flous, de l'autre, les plus foncés et les plus denses. Une fois que vous avez mis votre échelle en place, vous pouvez incorporer tout ce qui doit se trouver entre ces extrêmes.

Cette petite ébauche vous aidera à commencer. Notez bien que j'ai esquissé la direction de la lumière du soleil. Changez-en la direction si vous voulez, mais mettez la lumière et les ombres d'une

manière conséquente. Au cours du modelé d'un groupe d'arbres ou de buissons, faites, par exemple, les dessous et les parties latérales en face de la source lumineuse en général plus foncés que

ceux qui sont dardés par les rayons du soleil.

Si vous n'êtes pas content du résultat, réessayez sur la feuille d'exercice conçue à cet effet à la **page 20.**

Changement de couleur et de valeur

Regardez par la fenêtre. Si vous pouvez voir loin – disons un kilomètre ou plus – vous remarquerez que des objets éloignés paraissent avoir moins de couleur qu'en réalité. Un gratte-ciel éloigné pourra sembler gris même s'il est composé de granit rose ou de vitres de couleur verte. Les collines et les montagnes semblent bleuâtres et pourpres quand on les voit de loin, cela dépend de leur distance et du temps qu'il fait. Ce phénomène se produit même si vous savez qu'elles ne paraîtraient ni bleues ni pourpres si vous y étiez réellement et si vous y grimpiez.

La raison pour laquelle les couleurs des choses paraissent différentes de loin tient au fait qu'il y a une sorte de voile au travers duquel on les regarde, et, plus elles sont loin, plus il est épais. Le voile est naturellement la couche d'air qui se trouve entre l'objet et vous. L'air contient toujours de minuscules gouttes d'eau et des souillures provenant des gaz d'échappement, de la fumée et des particules de poussière. L'effet produit par cette couche d'un air qui n'est pas tout à fait limpide est celui d'un filtre qui laisse passer certaines longueurs d'ondes de lumière tout en en absorbant certaines autres. Les couleurs froides (comme le bleu) le traversent facilement tandis que beaucoup de couleurs chaudes (comme

les tons de rouge) sont filtrées avant d'atteindre votre œil. La composition effective de l'air varie d'une région à l'autre et même d'une ville à l'autre; elle dépend aussi beaucoup du temps. Mais peu importe la clarté du jour, des objets éloignés vont toujours sembler plus bleus que d'autres qui leur sont comparables et qui sont plus près. Il y a toujours un voile entre les objets que vous regardez et vous.

Il se passe toujours quelque chose quand on regarde les objets à distance. Ceux-ci ne paraissent pas seulement plus bleus de loin mais aussi, habituellement moins fortement remplis d'ombre. **Ci-dessous**, on voit un paysage tel qu'il apparaîtrait sur une photo en noir et blanc.

Vous voyez que, plus vous vous en éloignez, et plus les collines paraissent claires. S'il s'agissait d'une photo en couleur, les collines iraient dans des tons bleus de plus en plus clair au fur et à mesure qu'elles s'éloigneraient. Les oiseaux, eux aussi sont de plus en plus pâles quand ils disparaissent dans la profondeur de la photo. Il y a là simplement moins de lumière accessible à notre œil dans le cas d'un objet éloigné que dans celui d'un objet proche. Ici aussi, la raison est en partie que le voile d'air filtre un peu la lumière. Une deuxième raison est que, plus il est éloigné, plus la lu-

mière d'un objet se disperse fortement. Comme tout le monde, les peintres ont aussi tendance à donner aux choses des noms bizarres. En voici deux: la clarté ou l'obscurité d'un secteur sont nommées valeur; un secteur clair a une grande valeur, un secteur foncé une valeur basse. Les deux phénomènes mentionnés, réunis, à savoir, les variations des qualités de couleur et des valeurs par la distance, sont couramment nommées perspective aérienne.

Il est important de comprendre que beaucoup de facteurs influencent la perception d'objets dans la distance et qu'aucun motif n'aura exactement la même apparence une heure plus tard pour ne pas dire d'un jour à l'autre. Plus de vapeur dans l'air ou de pollution modifieront les choses. Si un nuage jette une ombre sur une colline éloignée, alors cette colline pourra paraître plus foncée que celles qui sont plus près, même si cela contrarie nos «lois». Une chaîne de collines recouverte d'arbres éloignée suscitera en hiver une impression plus froide (plus bleue) que la même chaîne de collines en automne. Ce qui importe vraiment c'est d'être conscient des nombreuses possibilités que vous avez pour renforcer l'impression d'éloignement grâce à l'attiédissement des couleurs et à l'éclaircissement des valeurs des objets.

Changement de couleur et de valeur

Quand nous nous préoccupons de perspective aérienne, nous pensons en premier lieu aux parties d'un décor qui sautent aux yeux: des montagnes éloignées, la silhouette d'une ville qui se trouve à des kilomètres, des choses donc qui ont tendance à avoir une apparence bleuâtre ou grise. Mais qu'en est-il des choses qui sont plus proches et qui ne sont pas du tout bleues ou grises? Ce serait le cas par exemple d'une grange rouge dans un champ jaunâtre. Si vous placez la grange

et le champ au premier plan de votre dessin, en relief, peignez-les alors en rouge et jaune, comme il vous plaira. Si, par contre, la même grange et le même champ se trouvent cinq cents mètres plus loin et que vous les peignez aussi rouges et aussi jaunes qu'ils le sont réellement, ils vous apparaîtront en saillie et sembleront tomber à l'avant du dessin. Les couleurs chaudes ont tendance à se presser devant le dessin, les froides à tomber à l'arrière, et c'est pourquoi, on rend la

couleur d'un objet plus froide (ou moins chaude) quand on veut faire entrer plus profondément celui-ci dans le dessin. Atténuez un peu le rouge de la grange – essayez d'en mettre une couche prudente: quelle impression cela rend-il? Si elle continue à crier: «Faites de la place, me voilà!», alors continuez à atténuer la couleur jusqu'à ce que vous ayez le sentiment que cela est conforme à la distance. La même chose est valable pour le champ jaune.

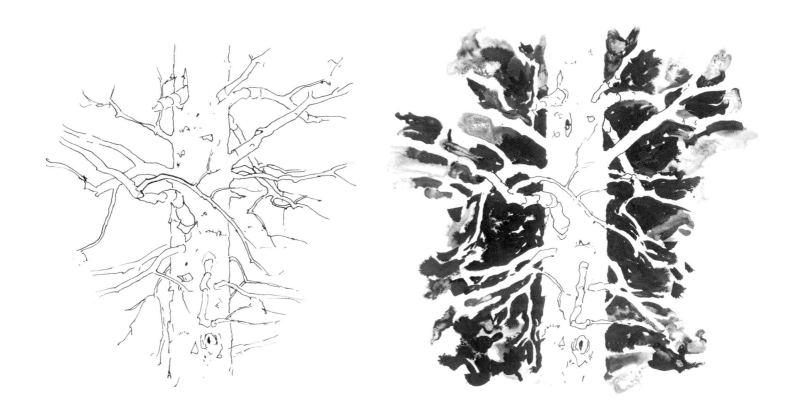

Peut-être a-t-il l'air lumineux comme du jaune cadmium quand on le regarde de très près, mais pour le faire reculer vous avez besoin d'un jaune ocre.

Considérez tout ceci seulement comme des lignes directrices. Il y a beaucoup de facteurs qui influencent l'impression et le sentiment de votre dessin et c'est pourquoi: ne vous concentrez pas trop sur un seul aspect. N'atténuez pas sans réfléchir par exemple le rouge de la grange sans faire entrer en ligne de compte les couleurs de l'entourage de la grange. Si la grange est placée devant l'arrière-plan d'une forêt verte par exemple, vous devrez atténuer le rouge plus fortement que si l'arrière-plan se composait d'un feuillage automnal brun, car le

vert est la couleur complémentaire du rouge et sa présence donne plus de vigueur à tous les rouges. Au cas où on pourrait donner une règle en peinture, ce serait celle-ci: apprenez autant d'instructions, de techniques, de trucs et de règles pour débutants que vous pourrez, mais faites attention à ce que la toile évolue dans sa globalité et non pas en quelques parties isolées. Et puis, ayez confiance en votre instinct. Plus vous peindrez, plus vous verrez de toiles d'autres personnes et plus vous pourrez vous fier à votre instinct.

Pour ne pas vous laisser croire que, de toutes façons, les parties de l'arrière-plan s'éclaircissent plus que les secteurs du premier plan, regardez s'il vous plaît ce

qui se passe avec l'esquisse **ci-dessus, à gauche** quand nous rendons l'arrière-plan plus foncé (**ci-dessus, à droite**). La différence de clarté fait sortir l'arbre de l'arrière-plan et semble le pousser vers l'avant.

On peut obtenir encore plus de profondeur grâce à l'utilisation de quelques autres techniques comme celle du modelé du tronc d'arbre ou des branches qui les fait paraître ronds. Prenez un simple crayon gris ou de l'encre de Chine diluée ou des peintures à l'eau et faites un modelé délicat directement sur une ou sur les deux esquisses. Assurez-vous que vous avez fixé au préalable l'emplacement de la source lumineuse dans le motif.

Ensuite faites le modelé correspondant. Si vous choisissez par exemple une source lumineuse du côté droit, vous mettrez de l'ombre plus à droite du tronc.

L'exemple de l'arbre montre que l'on peut parvenir à une séparation de couches et par là à la profondeur, uniquement grâce à un changement assez accentué des clartés. Ce faisant, nous sommes passés d'un premier plan clair à un arrière-plan foncé. **Ci-dessous**, on parvient à la même chose, mais là, nous allons du foncé au clair. Un changement soudain de la valeur dans les deux directions est souvent un bon moyen pour créer de la profondeur. Un tel changement n'a pas grand-chose à faire avec des grandes distances ou des voiles atmosphériques. Ça marche tout simplement!

Exercice 4

Coloriez le motif de la page suivante aux crayons de couleur (ou peignez-le si vous préférez). Vous pouvez faire le ciel bleu et blanc, les arbres verdâtres, le toit de la grange gris, le chemin, la route et les poteaux de la clôture, marron. Ne peignez ni le drapeau de la boîte aux lettres (1), ni le pan de pignon de la grange (2) ni la maison de briques (3).

Faites au moins trois calques de la façade de la grange et de la maison de briques. Reportez les calques sur un papier sur lequel vous pouvez peindre et découpez-les.

Supposons que toutes les trois parties numérotées de la scène soient du même rouge. Prenez un rouge assez soutenu et peignez les trois parties (1, 2 et 3) de ce rouge directement sur cette feuille d'exercice. Vous voyez que la grange et la maison ne paraissent pas si éloignées qu'elles devraient l'être.

Utilisez maintenant le même rouge quoique de manière un peu moins soutenue pour colorer l'une des parties découpées de la grange. Posez le morceau peint sur la toile et voyez si votre sentiment vous dit si c'est juste. Trop rouge?

Peignez-en encore un morceau en estompant le rouge encore davantage. Toujours trop rouge? Essayez un autre morceau, mais, cette fois, non seulement en rendant la peinture plus estompée, mais en l'affaiblissant en même temps c'est-à-dire en éclaircissant sa valeur. Quand vous avez enfin la grange du rouge qu'il faut, continuez à rendre la couleur plus mate et utilisez-la pour le détail de la maison qui est encore plus éloignée. Une fois terminé, vous devez avoir une dégradation des tons rouges quand on entre dans la toile ainsi qu'une impression de profondeur plus nette qu'avant, lorsque les trois objets étaient colorés du même rouge.

Vous pouvez décalquer tout le décor, reporter le dessin sur un autre papier et entreprendre d'autres essais avec d'autres couleurs plus atténuées. Imaginez cette fois que les parties planes du sol soient jaunes ou vertes. Faites les parties du sol qui se trouvent à l'avant d'un vert (ou d'un jaune) le plus soutenu possible, les parties centrales, estompées, et les parties les plus éloignées d'un vert (ou d'un jaune) encore plus discret.

Exercice 5

Peignez l'esquisse de la page 27 comme un paysage hivernal en utilisant des crayons de couleur, des pastels ou de l'encre de Chine. Faites les montagnes qui se trouvent le plus loin dans des tons très froids (bleu) et clairs, les parties centrales, de moins en moins froides et plus foncées en valeur ainsi que le premier plan, blanc, par principe, comme la neige sur le sol et sur quelques branches du grand arbre. Bien que le premier plan reçoive ainsi la valeur la plus claire, il ne va pas reculer pour autant parce que vous ajouterez assez de détails et de contours précis pour qu'il paraisse proche du spectateur.

A partir de la même scène exécutez alors à la page 29 un paysage automnal. Donnez une valeur claire aux montagnes les plus éloignées et une couleur froide, toutefois, sans l'être autant que dans le paysage hivernal – essayez les tons pourpres plutôt que bleus. Vous devriez rendre de plus en plus chaudes les couleurs des collines du plan central et enrichir le premier plan d'arbres détaillés et de rochers dotés de nombreuses taches de couleurs chaudes.

Lignes de fuite

Placez-vous dans n'importe quelle pièce de votre maison ou bureau, dos au mur, et dirigez votre regard vers le mur d'en face. Si c'est une pièce «normale», rectangulaire, les murs droit et gauche vous paraîtront plus près l'un de l'autre tout au bout de la pièce que là où vous vous trouvez. Les lignes de contact des murs avec le plafond paraissent se rejoindre. Elles se rencontreraient manifestement quelque part si on les prolongeait assez loin.

Revenez un peu en arrière aux illustrations précédentes dans le manuel, par exemple à la gare de la **page 11.**

Vous voyez que plus les voies s'éloignent, plus elles paraissent se rejoindre. Vous savez bien sur qu'elles ne font rien de tout cela – si elles le faisaient, le pre-mier train, qui passerait, serait vraiment en difficulté. Il est frappant dans ce même dessin que plus l'éloignement est grand et plus les bâtiments semblent être comprimés. Si vous prolongez sur la droite le faîte et les fondations à l'aide de lignes atténuées, vous reconnaîtrez qu'elles se rencontrent en un point, à peu près au pied de la rangée d'arbres au loin. Faites la même chose maintenant avec la partie droite des voies – prolongez-les et vous trouverez qu'elles se rencontrent en un point sur la même li-gne horizontale au pied des arbres éloi-gnés.

Regardez le chemin pavé de briques sur l'esquisse **ci-dessous**. Vous pouvez, sans problème, partir du principe que ce chemin a, en réalité, la même largeur, sur toute sa longueur, mais, dans le dessin, il se resserre au fur et à mesure qu'il s'éloigne de vous.

C'est ainsi que nous voyons les choses. Des lignes dont nous savons qu'elles sont parallèles en réalité semblent converger quand elles s'éloignent de nous. Nous avons le sentiment de pouvoir interpré-ter cette convergence apparente comme une ébauche de profondeur et de dis-tance. En dessinant et en peignant, nous nous servons de cette transposition pour conférer à nos dessins une illusion de profondeur.

L'utilisation de lignes concourantes qui produit une impression de profon-deur est nommée en général perspective linéaire et c'est la technique perspective qui produit le plus d'effet.

Lignes de fuite

Définissons quelques termes. Imaginez-vous être sur une longue route toute droite du Texas qui s'étire pendant des kilomètres sur un pays complètement plat et qui disparaît enfin à l'horizon. Par ligne d'horizon, nous comprenons tous une ligne imaginaire horizontale où le ciel touche la terre ou l'eau. En effet, les deux bords de notre route vont se rencontrer apparemmment sur la ligne d'horizon et le point dans lequel ils semblent se retrouver sera nommé *point de fuite* (PF). C'est le point vers lequel la route «s'enfuit».

Tout d'abord, il faut que nous sachions ce que l'on nomme *niveau des yeux*. Celui-ci n'est rien d'autre qu'une surface imaginaire à la hauteur de la ligne des yeux quand on regarde droit devant soi. Dans notre exemple du Texas, le niveau des yeux veut dire la même chose que ligne d'horizon. Il faut admettre que c'est toujours pareil mais c'est parce qu'il y a des cas où on ne peut justement pas voir la ligne d'horizon (des montagnes, des bâtiments ou d'autres objets peuvent se trouver devant) que nous renonçons, quand nous parlons de la perspective, à l'utilisation du mot «horizon» et prenons à la place le terme particulier de «niveau des yeux» (NY).

Il est d'une importance capitale de fixer le niveau des yeux dans un dessin fidèle à la réalité parce que tout ce qu'il y a dans le dessin se rapporte au niveau des yeux comme vous allez le voir bientôt. Pour expliquer cela, considérez les trois esquisses de **droite** sur lesquelles notre route du Texas est représentée.

Devant la première, pensez simplement que vous êtes là et que vous regardez droit devant vous là où la route «s'enfuit» – jusqu'au point de fuite. Puis imaginez-vous que vous abaissez la ligne de vos yeux en allant, avec le menton, en direction du sol et en regardant tout droit. Vous verriez quelque chose de semblable à la deuxième esquisse (moins de sol, plus de ciel – une perspective de ver de terre). Supposez ensuite que vous soyez enlevé dans les airs par une énorme buse (tout est gigantesque au Texas!) et que vous regardiez à nouveau dans la direction où la route «disparaît». A ce moment-là, vous verrez plus de sol au-dessous de vous et donc moins de ciel, tout comme dans la troisième esquisse.

Rappelez-vous: le niveau des yeux est la surface horizontale à la hauteur de la ligne des yeux quand vous regardez tout droit devant vous. Le niveau des yeux ne change pas quand vous penchez la tête en avant ou en arrière ou quand vous levez ou baissez les yeux.

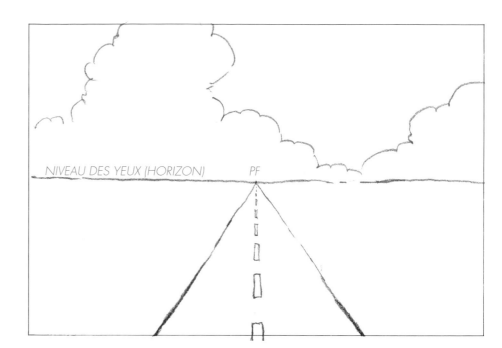

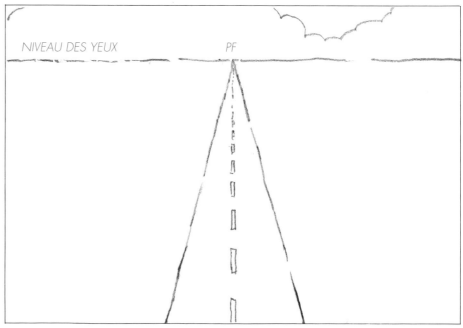

Laissez-moi le dire différemment: dans votre dessin, le niveau des yeux fait part à l'observateur de la hauteur à laquelle vous vous trouviez quand vous l'avez exécuté. Une fois que vous avez fixé cette hauteur par rapport à votre motif, que vous regardiez en haut ou en bas ne joue aucun rôle.

Supposez par exemple que vous dessiniez un oiseau dans le nid sur une branche au-dessus de votre tête (**ci-dessous, à**

droite). Le niveau des yeux sera bas dans cette scène. Vous verrez l'oiseau et le nid d'en bas.

Imaginez maintenant que vous dessiniez un nid dans l'herbe à vos pieds (**ci-dessous, à gauche**). Le niveau des yeux est très haut, si haut même qu'il se trouve à l'extérieur de votre dessin.

Dans ces deux motifs, le niveau des yeux a changé parce que le rapport de votre corps à l'objet a varié (dans ce cas,

le nid a interverti sa place, mais l'effet est le même, que ce soit l'artiste qui bouge ou l'objet).

Dans ces deux exemples, la tête pouvait être levée ou baissée pour voir et dessiner le motif. Mais cela n'avait rien à voir avec le niveau des yeux. L'horizon de la terre ne changeait pas du tout. Peu importe que vous regardiez en haut ou en bas, l'horizon ou le niveau des yeux demeurent tels qu'ils sont.

Esquisses au crayon
par Shirley Porter

Lignes de fuite

Revenons maintenant à votre pièce normale et rectangulaire et supposons que vous soyez au milieu et que vous regardiez le mur du fond. Vous êtes assez loin pour pouvoir voir en partie les murs, le plafond et le sol comme on nous le montre **ci-dessous**.

Si vos yeux sont, disons, à un mètre et demi du sol, alors le niveau des yeux de la scène dont vous êtes l'observateur est aussi à un mètre et demi du sol. Si vous êtes décidé à peindre ce motif tel que vous le voyez de là où vous vous trouvez, alors vous devrez tracer sur votre toile

une légère ligne horizontale (ou, pour le moins, vous l'imaginer), représentant le niveau des yeux du motif que vous êtes en train de travailler. Vous devrez ensuite tout rapporter dans votre dessin à ce niveau des yeux.

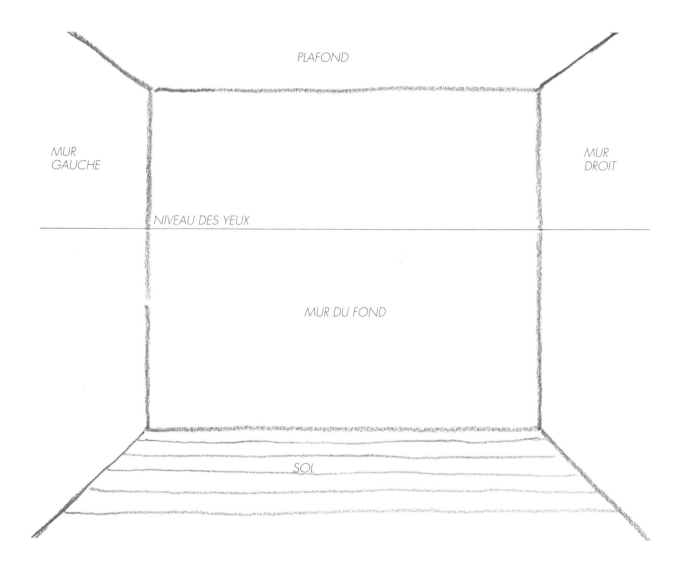

PLAFOND

MUR GAUCHE

MUR DROIT

NIVEAU DES YEUX

MUR DU FOND

SOL

Dans un motif comme celui-ci (**ci-dessus, à droite**), il y a exactement un point de fuite (PF). Si vous êtes à la même distance des deux murs latéraux, le PF est au milieu du mur du fond à un mètre et demi au-dessus du sol (au niveau de vos yeux). Si un enfant peignait la scène du même point de vue, le niveau des yeux serait vraiment plus bas et la toile qui en résulterait toute autre que la vôtre. L'enfant verrait plus de sol et moins de plafond.

Dans cette pièce simple, il y a plusieurs lignes qui s'éloignent de vous. Les lignes de contact du plafond et des murs se trouvent au-dessus du niveau des yeux et semblent avoir pour but de descendre vers le niveau des yeux. Les lignes dans lesquelles le sol et les murs se touchent, veulent monter manifestement en direction du niveau des yeux. Quand on prolonge ces quatre lignes mentalement, on trouve, en effet, qu'elles se rencontrent en un seul point (dans le point de fuite) et ce point est exactement au niveau des yeux.

Dans la deuxième esquisse (**ci-dessous, à droite**), j'ai ajouté quelques objets simples dans la pièce: une table basse, une fenêtre et une porte. Considérez les lignes fuyantes «horizontales» de ces objets. Elles se rencontrent toutes dans le même PF.

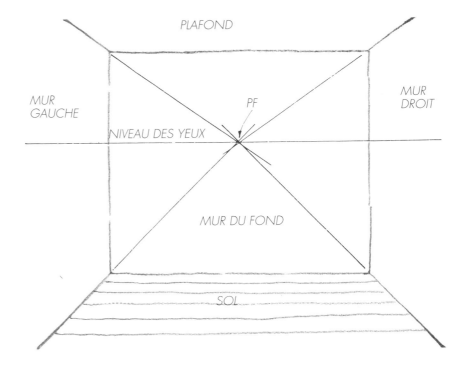

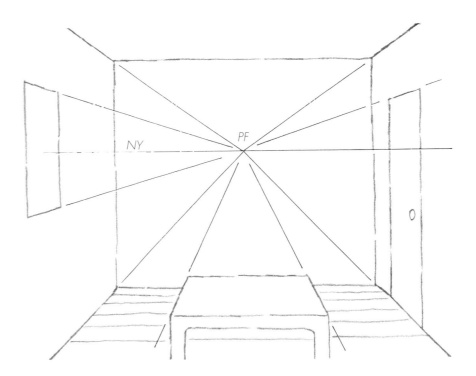

Lignes de fuite

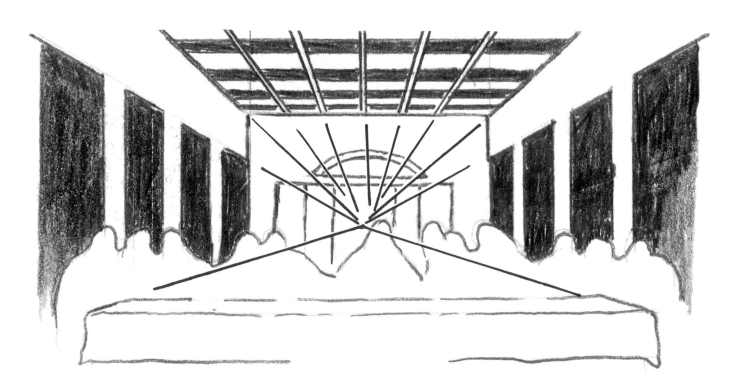

En haut, à gauche: Si vous pouviez voir au travers du mur et assez loin, vous verriez que la ligne d'horizon de la terre passe par le point de fuite. J'ai muni le mur du fond d'une grande fenêtre, de telle sorte que vous puissiez observer cet effet. Ce faisant, nous avons observé la technique de la perspective linéaire à un seul point de fuite. Dans ce motif, il y a exactement un point de fuite; de plus, une surface de l'objet dessiné (la pièce) est parallèle à la surface du dessin. Si nous n'avions pas si bien réparti les objets (si, par exemple, la table était tournée dans un angle et si nous regardions dans un coin de la pièce au lieu de regarder le mur du fond), alors nous constaterions que toutes les lignes parallèles ne rejoignent pas obligatoirement un seul point. Il y aurait deux points de fuite voire plus. Nous y reviendrons au chapitre 2. La perspective linéaire à un point de fuite n'est pas aussi largement répandue de nos jours en art que celle à deux points. La perspective à un point est plutôt statique et formelle et cela correspond moins à nos conceptions actuelles. Il y a quelques siècles pourtant, on utilisait souvent cette forme de perspective. Un bon exemple en est la «Cène» de Léonard que j'ai esquissée **ci-dessous, à gauche**.

Dans quel domaine utilisons-nous aujourd'hui la perspective à un point de fuite? On s'en sert relativement souvent dans la peinture de portrait au cours de laquelle l'artiste s'applique à attirer l'attention sur le modèle représenté grâce à un arrangement particulier de l'environnement dans la perspective à un point. C'est en faisant se rejoindre les lignes de fuite dans la pièce très près de la tête de Jésus que l'œuvre de Léonard attire l'attention sur le personnage central.

Moi-même, j'ajoute au moins une construction en perspective à un point, dans un but de sérénité, aux paysages dans lesquels beaucoup de bâtiments se trouvent en perspective à deux points. Trop d'objets à deux points peuvent troubler ou provoquer le désordre. Pour pallier cela, l'apport d'un objet en perspective à un point peut contribuer à établir un peu d'ordre et à donner un sentiment d'équilibre.

Mais, comme je l'ai déjà dit, on reviendra là-dessus un peu plus en détail au chapitre 2.

Hormis le fait que toutes les lignes horizontales qui vont dans le lointain se rencontrent en un point de fuite, vous devriez retenir ceci: les lignes qui se trouvent en deçà du niveau des yeux obliquent vers le haut pour se rencontrer au niveau des yeux et celles qui se trouvent au-dessus du niveau des yeux obliquent vers le bas.

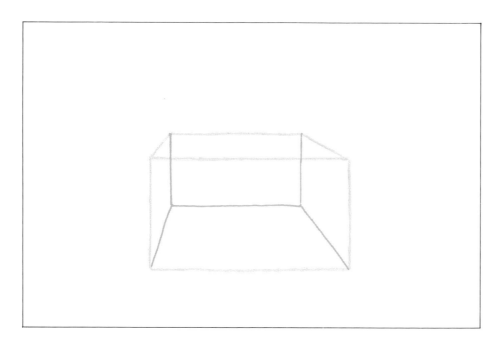

Nous voulons construire une simple boîte, comme on peut le voir **ci-contre**. En partant de la face d'une boîte rectangulaire, représentée page 41, ainsi que du niveau des yeux tracé, suivez s'il vous plaît les démarches de la construction pour ajouter le reste de la boîte y compris les arêtes cachées.

   Après avoir converti la face donnée en une boîte, construisez vous-même une face **page 42**, déterminez le niveau des yeux et refaites l'exercice.

Etape 1: Représentez-vous ceci comme une boîte en verre de telle sorte que vous puissiez voir les arêtes arrière et les coins. La face est parallèle au niveau du dessin et la boîte se trouve en deçà du niveau des yeux.

Etape 2: Le point de fuite va être quelque part au niveau des yeux et cela dépendra de l'emplacement de l'observateur (au centre ou à droite ou à gauche de celui-ci). Supposons que l'observateur se trouve un peu à gauche du centre. Par conséquent, le PF va se trouver un peu à gauche du centre. Mais où exactement? Admettons que vous voyez la boîte en réalité et que vous la dessinez, vous tenez une règle au bout de votre bras tendu et vous la repliez alors de telle sorte qu'elle recouvre l'une des arêtes obliques de la boîte puis vous amene doucement la règle coudée sur la surface à dessiner et vous reportez cette arête le long de la règle sur votre dessin. Appelons ligne a cette arête de la boîte ainsi obtenue.

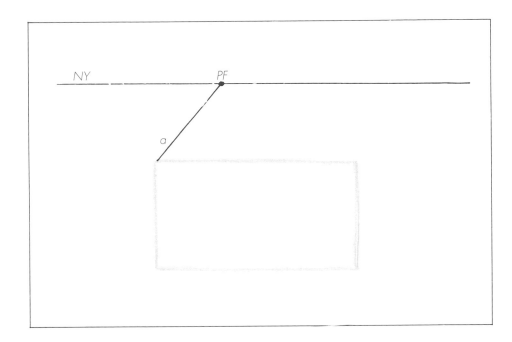

Etape 3: Le reste est simple. Le point de fuite (PF) est là où la ligne a rencontré le niveau des yeux. Pour obtenir les trois arêtes obliques qui restent, vous n'avez besoin que de relier les coins restants de la face avec le PF. Vous voyez que toutes les arêtes obliques montent conformément à notre règle générale et se rejoignent au niveau des yeux parce que la boîte se trouve en deçà du niveau des yeux.

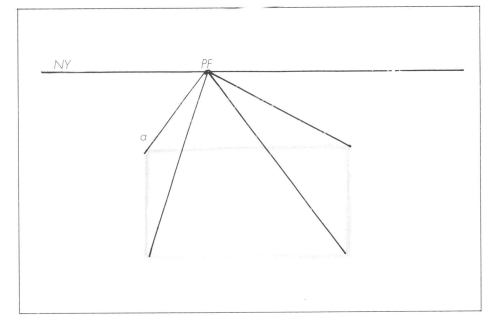

Etape 4: Ce qu'il nous faut déterminer maintenant est la profondeur de la boîte. En pratique, vous l'évaluez en considérant la scène que vous avez devant les yeux et en comparant la profondeur de la boîte avec d'autres dimensions comme par exemple la hauteur de cette boîte. Le résultat que vous obtiendrez sera le fruit de votre peine. Tracez la ligne b là où vous pensez qu'elle doit être. Si cela ne marche pas, déplacez-la en avant et en arrière jusqu'à ce que cela tombe juste.

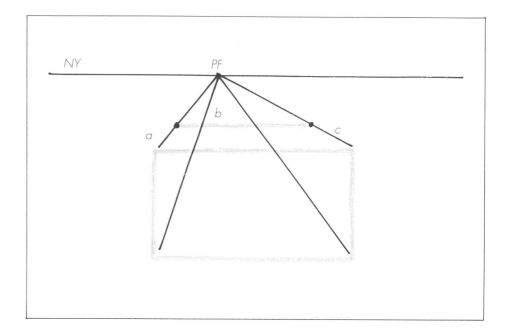

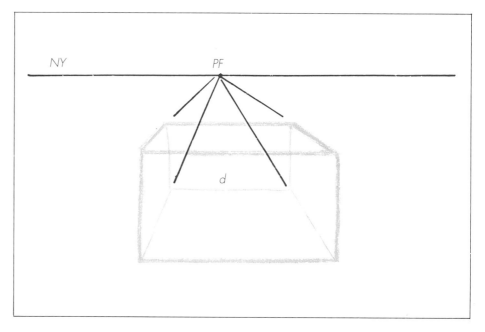

Etape 5: A cet endroit, il convient peutêtre de vous faire observer quelque chose dont vous avez peut-être déjà légèrement soupçonné l'existence. Il existe un grand nombre de règles géométriques compliquées qui ont pour but d'obtenir des lignes et des angles différents dans un dessin en perspective afin que tout réussisse à s'accorder. Otez-vous cela de la tête à moins que vous ne soyez un architecte ou un pédant dans toute sa splendeur. Si vous vous penchez trop sur le côté technique, alors vous ne parviendrez qu'à éteindre l'étincelle créative de votre art. A la fin, vous vous retrouverez devant un dessin, certes techniquement correct, mais qui n'intéresse personne et vous-même, vous serez déçu.

Revenons à notre boîte en verre. Elle est terminée quand vous n'avez plus qu'à gommer les lignes de construction. Cette boîte en verre n'a qu'un but: j'aimerais vous mettre à même de pouvoir vous représenter les arêtes postérieures normalement invisibles. Pour les déterminer avec exactitude, tirez des lignes vertica-

les aux points d'intersection de la ligne b avec les lignes a et c.

Là où ces lignes verticales coupent les arêtes du dessous et de derrière vous obtenez les coins restants de la boîte. Reliez ces coins à la ligne d. Effacez les lignes de construction superflues et terminé!

Nous avons peu parlé jusqu'ici des lignes verticales. Nous les avons simplement laissées pour ce qu'elles étaient, c'est-à-dire verticales – pas de points de fuite, pas de mise en pente, pas tout le tremblement. La raison, pour laquelle nous laissons les lignes verticales comme elles sont, est la suivante: dans la plupart

des motifs que nous choisissons de peindre, les lignes verticales sont relativement courtes et le point d'une verticale paraît à peu près aussi éloigné à nos yeux que tout autre sur cette ligne. Mais il ne fait aucun doute que la ligne s'éloigne de nous. Nous traiterons les lignes verticales dans le manuel 2; elles sont si longues que quelques-unes d'entre elles qui s'élancent dans le ciel ou descendent juque dans la vallée paraissent vraiment s'éloigner de nous et tout aussi bien se rejoindre en un point de fuite que les lignes horizontales des voies de chemin de fer par exemple qui paraissent converger quand elles disparaissent dans le lointain.

NIVEAU DES YEUX

Feuille d'exercice

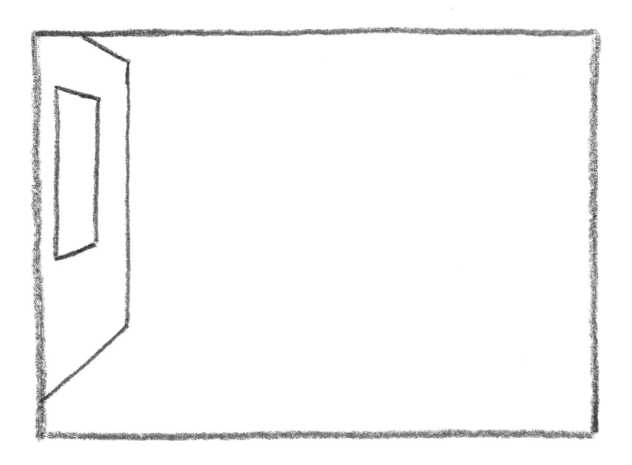

On a dessiné ici une pièce en perspective linéaire avec un point de fuite en réalisant un mur latéral. Prolongez l'arête supérieure et inférieure du mur déjà construit pour trouver le point de fuite. Tracez ensuite le niveau des yeux ainsi que le mur droit, le plafond et le sol. Rappelez-vous: le niveau des yeux est simplement une ligne horizontale qui passe par le PF.

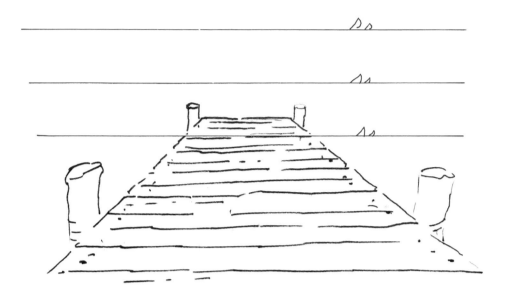

Vous vous trouvez ici sur un embarcadère et regardez la ligne d'horizon au-delà de l'eau. Choisissez la ligne d'horizon la plus convaincante et tracez-la.

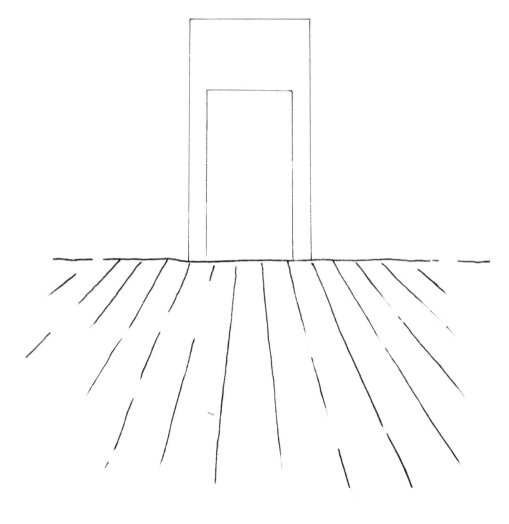

Vous faites un mètre quatre-vingt. Vous vous trouvez sur le plancher d'un vestibule et vous regardez droit devant vous le mur d'en face. Une porte normale de deux mètres dix de haut se trouve dans ce mur. Choisissez la porte qui va le mieux et tracez-la.

Les bonnes réponses se trouvent ci-dessous, mais ne trichez pas!

On trouve ici des parties de trois boîtes rectangulaires. Complétez chacune de ces boîtes en perspective à un point en utilisant le PF comme point de fuite des trois.

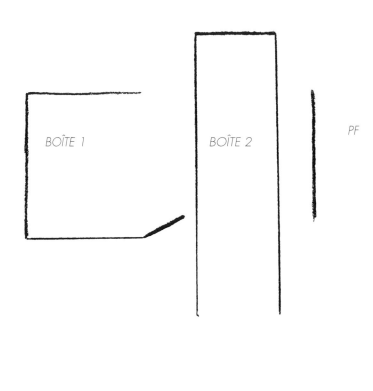

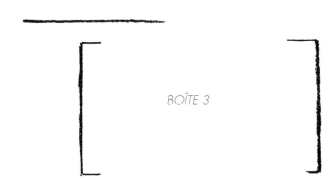

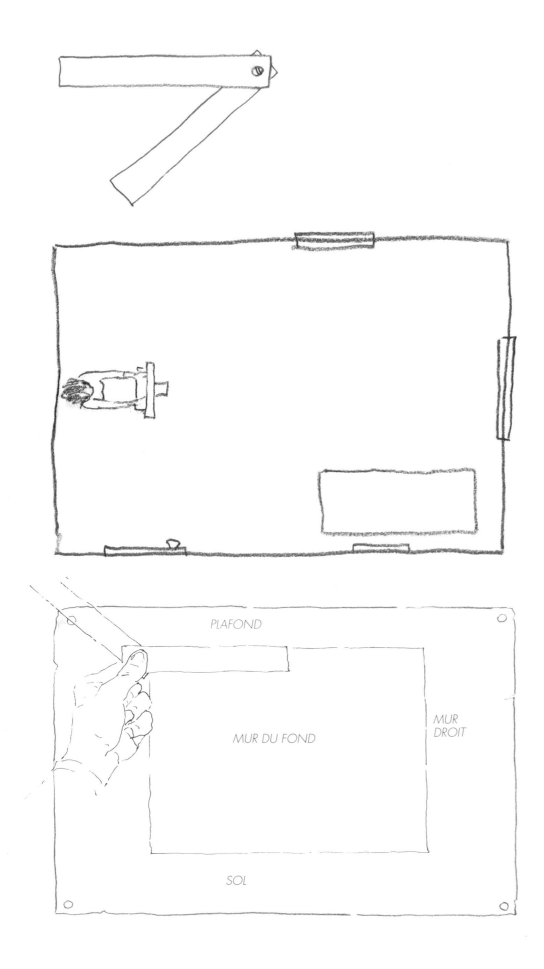

La perspective linéaire exige que l'on observe et trace constamment des angles. Voici un procédé utile pour évaluer les angles avec exactitude. Construisez tout d'abord un simple rapporteur en forme de ciseaux. Découpez à cet effet deux bandes de carton d'environ vingt centimètres de long et trois centimètres de large. Fixez-les en leur extrémité avec un trombone, une punaise, une vis ou autre. Les deux bandes doivent être reliées de telle sorte qu'elles puissent s'articuler. Vous pouvez aussi prendre un mètre si vous en avez un sous la main.

Placez-vous le dos au mur dans une pièce rectangulaire et fixez une feuille de papier sur un chevalet situé à une distance équivalente à la longueur de votre bras, comme on peut le voir **au milieu**.

Tracez un rectangle au fusain qui doit grossièrement représenter le mur éloigné de la pièce. J'ai fait une ébauche rapide d'un mur normal en traçant un contour peu prononcé, ce qui n'empêche que votre mur peut avoir d'autres proportions que celui-ci; dans ce cas, modifiez mon esquisse.

Prenez maintenant votre rapporteur et trouvez les angles vers lesquels les murs latéraux, le plafond et le sol vont se heurter au mur d'en face. Vous voyez comment **ci-dessous**. Tenez l'ustensile bras tendu de sorte qu'il soit toujours parallèle au mur du fond (et de la même façon, parallèle au papier de votre chevalet). Mesurez un angle avec votre rapporteur, disons celui qui se trouve entre le bord supérieur horizontal du mur arrière et la ligne d'intersection du plafond et du mur gauche. Ne penchez pas l'ustensile pour ajuster un angle mais tenez-le à plat (parallèlement au mur arrière) et ne changez que la grandeur d'ouverture d'angle de l'articulation pliante. Quand l'angle des bandes de carton concorde avec l'angle à mesurer, alors amenez avec précaution la bande de carton sur le papier – toujours bras tendu – et reportez l'angle. Faites la même chose avec tous les angles que vous voulez reprendre y compris les contours des cadres de tableaux, des portes et des fenêtres etc. A force de faire cet exercice, vous apprendrez à tenir l'appareil de mesure parallèlement au papier et à ne pas le pencher dans votre main.

PLAFOND

MUR DU FOND

MUR DROIT

SOL

Résumé

La toile **ci-dessous** fait environ quatre-vingt-dix centimètres de haut et un mètre trente de large. Elle fait partie d'une série que j'ai réalisée dans laquelle j'ai combiné aquarelle et encre de Chine. Bien que de nombreux détails disparaissent dans cette reproduction fort réduite, nous pouvons pourtant l'utiliser pour résumer beaucoup de sujets traités dans ce manuel. Toutes les techniques de perspective y sont représentées jusqu'à un certain point:

Chevauchement: de nombreux objets se chevauchent – des arbres se trouvent devant d'autres arbres et devant des bâtiments; des bâtiments ou des parties de ceux-ci sont aussi devant d'autres; des lattes de clôture enneigées sont les unes devant les autres et devant des arbres.

Changement de dimension et d'espace: plus ils s'éloignent et plus les palis et leurs intervalles deviennent étroits comme c'est le cas pour de nombreuses lattes de barrière et les piliers de la véranda; beaucoup d'arbres plus éloignés sont plus petits que ceux qui sont plus près.

Modelé: les arbres, les palis et les piliers de la véranda sont légèrement modelés et on doit supposer ici que la source lumineuse se trouve quelque part à droite. Observez que dans le domaine du premier plan blanc, il n'y a ni modelé ni ombre portée. Dans cette série de toiles, j'ai joué avec des surfaces à dominante blanche et j'ai essayé de m'en sortir sans modelé. Liberté de l'artiste!

Détails et contours: la richesse du détail et la précision du contour des arbres et des palis diminuent à mesure qu'ils s'éloignent. Notez bien que j'ai admis que les palis et les lattes de barrière recouvertes de neige se désagrègent optiquement au premier plan car mon point de vue était ailleurs, à savoir au second plan.

Phil Metzger, **La Maison blanche.** Aquarelle et encre de Chine, 91x132 cm

Résumé

Changement de couleur et de valeur: croyez-moi, plus la distance augmente et plus les couleurs «tiédissent». En ce qui concerne la valeur, vous pouvez voir qu'elle est bien plus forte autour des bâtiments et des plus grands arbres du premier plan et bien plus faible à l'arrière-plan. On a quelques exemples d'un changement soudain des valeurs de clarté. C'est un phénomène qui contribue à la profondeur et que l'on peut observer par exemple dans les fenêtres sombres et la porte ouverte du bâtiment de droite.

Lignes de fuite: le bâtiment principal est exécuté en perspective linéaire avec un unique point de fuite. Je n'avais pas pris précisément la résolution de faire cela. Il s'agissait plutôt du fait que les contours que je voyais de ce point de vue me plaisaient plus que ceux que j'avais en regardant les murs latéraux du bâtiment. Le point de fuite se trouve directement sous la médiane de la cheminée, environ au tiers inférieur de la toile.

Ne vous rendez pas esclave des techniques de perspective. Il n'y a là aucune loi. Si, à l'arrière-plan de votre motif, se trouvent de plus grands arbres qu'au premier plan et qu'ils vous plaisent là-bas, alors n'ayez pas peur de les reproduire. Vous avez peut-être blessé de cette manière le principe qui nous dit que des objets diminuent avec la distance mais vous y gagnerez à être fidèle à la réalité. Vous pouvez faire apparaître sans problème le grand arbre aussi loin que vous voulez dans la mesure où vous utilisez des procédés tels que peinture et valeur plus superficielles, contours moins accentués etc.

Et il est évident que vous n'êtes pas obligé d'utiliser toutes les techniques de perspective chaque fois que vous peignez quelque chose. Élargissez simplement votre réserve de techniques et utilisez-la quand vous travaillez – souvent sans vous en rendre compte. C'est la même chose que pour le travail à la cuisine ou à l'atelier. Vous avez là un grand nombre d'outils sous la main, mais vous ne vous en servez pas pour tout. Vous saisissez seulement la bonne cuillère ou le bon marteau tandis que votre tête s'occupe des choses réellement importantes, de la composition du soufflé par exemple ou de la construction de la cage à oiseaux.

Volume I/2ᵉ chapitre
Boîtes et autres

John était l'un de mes étudiants il y a quelques années. Il était impatient. Il aimait contrarier les gens. Il s'obstinait à dire que le ciel était bleu et blanc et cela me paraissait déjà ridicule d'en montrer un de couleur grise et pourpre. Un soir, je faisais la démonstration de quelques perspectives simples à deux points de fuite:

«Phil, pourquoi tout ce remous?» C'était le bon vieux John.

«Pourquoi tout ce remous à propos de quoi, John?»

«A propos de toutes ces constructions.»

«Parce qu'il est quelquefois difficile de mettre sur le papier ce que l'on voit et c'est bien, John, d'avoir des bases auxquelles on peut se référer.»

«Mais nous savons tous comment on dessine des objets en perspective.»

Je crois que j'étais un professeur doté de beaucoup de patience, mais là, je la perdis.

«John» dis-je «qu'en était-il de ton motif de ferme que nous avons critiqué la semaine dernière ... N'avons-nous pas trouvé là un grand nombre de problèmes perspectifs?» En effet, il avait dessiné une grange qui glissait du bord gauche de la toile et une autre qui semblait s'enliser dans les sables mouvants.

«Allons donc, Phil» dit-il en riant «il faisait tout simplement froid le jour où j'ai peint cela ... trop peu de cognac dans le café!»

«Sans doute!» continuai-je, je souris et essayai de me tourner vers toute la classe: «Je sais que les gens ont peur de la perspective, car il la trouve mystérieuse et compliquée...» John s'adossa et ses yeux se fermèrent. «Mais en fait, c'est très simple. La perspective n'est rien d'autre qu'une série d'idées qui nous aident à faire de bons dessins à partir de bonnes choses.» Je lui lançai une gomme

et le secouai pour le réveiller. «N'est-ce pas, John?» Je me mis à rire et John sourit quelque peu d'un air complaisant.

«Je ne veux pas du tout donner l'impression» continuai-je «que des tableaux et des dessins créatifs ne sont que des choses comprimées dans des règles. Ce que nous appelons perspective n'est qu'un outillage de plus qui doit aider votre créativité à se développer, et non pas à la freiner. Plus vous êtes au courant du côté technique, des trucs et des outils et plus vous pouvez donner libre cours à vos talents créateurs, n'est-ce pas John?»

«Tu es le professeur, Phil» dit John en se moquant gentiment.

Je décidai de refaire un essai pour persuader John de tenir compte de la perspective.

«Considère cela de la façon suivante, John. Apprendre ce qui arrive à un objet en perspective est vraiment la même chose que d'apprendre que le mélange de rouge et jaune donne orange. Ces deux éléments ne sont qu'une partie des connaissances que l'on rassemble, que l'on case dans sa tête et rappelle automatiquement quand on peint une toile. On ne se dit pas en général: 'Voyons voir, cette ligne doit aller à ce point de fuite et cette droite va vers ce point de fuite, là-bas.' Pas plus que l'on ne se dit: 'Bon, comment fait-on? J'ai besoin de bleu et de jaune pour mélanger du vert.'»

«Qu'est-ce que tu viens de dire là, Phil?» John s'était soudain réveillé et écrivait quelque chose dans son carnet. «Qu'est-ce que donne bleu et jaune...?»

Nous avons traité une multitude de techniques utiles au chapitre 1 pour obtenir une impression de profondeur dans une toile ou un dessin. On a coutume de réunir ces techniques sous le nom de perspective. La dernière technique perspective que nous avons traitée était la perspective linéaire, c'est-à-dire l'utilisa-

tion des lignes de fuite pour créer de la profondeur. Quand nous dessinons quelque chose en perspective linéaire nous ne faisons rien d'autre que faire se rejoindre en un point de fuite éloigné des lignes qui sont parallèles les unes aux autres en réalité. De même que pour toutes les autres techniques de perspective, il s'agit ici d'une simple imitation de la façon dont notre œil et notre cerveau interprètent vraiment les choses.

Dans ce chapitre, nous nous concentrerons sur le dessin d'objets rectangulaires en perspective linéaire. On peut considérer la plupart des choses que nous dessinons comme des variations d'objets rectangulaires et quand vous en serez bien maître, vous serez donc en mesure de dessiner pratiquement tout en perspective et cela correctement.

Jusque-là, nos exemples se sont préoccupés de la perspective linéaire à un point – des arrangements simples au cours desquels toutes les lignes qui s'éloignent se retrouvent en un seul point de fuite à l'horizon, au niveau des yeux. Ici, nous traiterons d'un arrangement plus fréquent: la perspective linéaire à deux points. Cela signifie que nous avons affaire à deux points de fuite: quelques lignes convergent vers un point et d'autres vers le deuxième.

Le matériel nécessaire

Comme pour le 1er chapitre, les choses dont vous avez besoin dans ce manuel sont simples et bon marché: quelques crayons (2B-tendre, HB-moyen et 2H-dur) ou, si vous préférez, du fusain, un peu de papier-calque, une règle, un crayon gras, quelques peintures et un crayon de couleur.

Une simple boîte en perspective

Posez une règle sur chacune des sept lignes de cette boîte et rallongez-les toutes de quelques centimètres dans les deux directions.

Que voyez-vous? Premièrement, les lignes verticales restent parallèles entre elles et ne paraissent pas avoir l'intention de se rencontrer et ce, même si vous continuez à les prolonger aussi longtemps que vous voulez. Deuxièmement, les autres lignes, les horizontales, se rencontrent bien pourtant. Celles du côté droit vont vers un point qui se trouve à droite et celles de gauche vers un point qui se trouve à gauche. Prenez maintenant une règle pour relier ces deux points de rencontre.

La deuxième esquisse introduit quelques termes que nous utiliserons par la suite. Le point dans lequel les lignes se rencontrent à droite est le *point de fuite droit* PFD et celui dans lequel les lignes se rencontrent à gauche est le *point de fuite gauche* PFG. La droite sur laquelle il se trouvent est *le niveau des yeux* NY. Il s'agit des mêmes mots et termes que nous avons utilisés au 1er chapitre hormis le fait que nous avons maintenant affaire non pas à un point de fuite mais à deux.

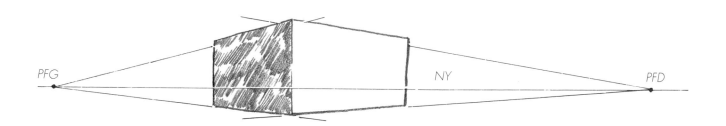

J'ai représenté ici trois boîtes, une dont la base est au niveau des yeux, une au-dessus et l'autre en deçà du niveau des yeux. Chaque boîte est tournée dans un angle différent vers l'observateur.

Observez quelque chose de très important dans cette «scène»: chaque boîte a sa paire de points de fuite propre, mais tous les points de fuite se trouvent au même niveau des yeux. Ces boîtes pourraient représenter des maisons dans une ville dotée de collines et de vallées. Chaque maison aurait alors sa paire de points de fuite propre, toute la scène n'aurait par là qu'un niveau des yeux unique et les points de fuite de toutes les maisons seraient au niveau des yeux.

Laissez-moi reprendre ici quelque chose qui se trouve déjà au 1er chapitre. Quand vous dessinez n'importe quel motif, déterminez tout d'abord le niveau des yeux auquel vous voulez le regarder et rapportez tout à ce niveau des yeux. Cela semble raisonnable, n'est-ce pas? Si vous dessiniez un objet de telle sorte qu'il apparaisse à un certain niveau des yeux et un autre tel qu'il semblerait considéré d'après un autre niveau des yeux, comment serait-il alors possible que les deux objets aient, dans la même toile, un rapport de proportions correct? Cela marcherait pour un observateur venant d'une autre planète et qui aurait des yeux dans la tête aussi bien que dans les genoux.

Nous devons nous contenter ici, dans notre monde, de notre paire d'yeux pour êtres humains. Choisissez un niveau des yeux et débrouillez-vous avec lui.

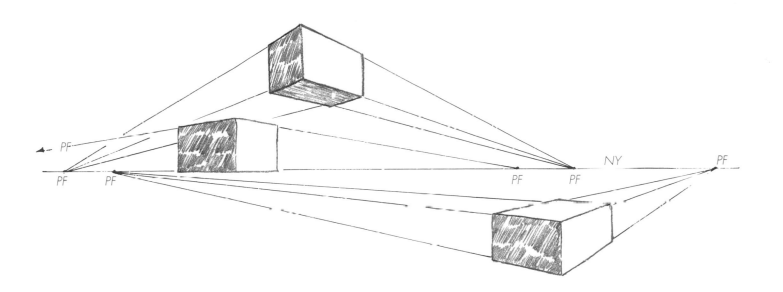

Transparence

Quiconque veut dessiner ou peindre un corps tridimensionnel d'une manière convaincante doit en comprendre le volume et doit pouvoir «l'entourer de ses bras» en esprit. Quand on peut «sentir» les rondeurs d'un tronc d'arbre, on peut plus facilement le coucher sur le papier comme un corps compact; si on ne voit le tronc que comme une figure plane, on le dessinera vraisemblablement comme une figure plane. S'exercer à comprendre le volume d'un objet consiste toujours à tracer ses lignes cachées surtout quand on exécute la première esquisse grossière.

Voici une lampe de poche, un taille-crayon électrique et un hangar. Dans ces esquisses, j'ai essayé de me rappeler la profondeur de ces objets. La lampe de poche n'est pas du tout la surface plane que je perçois en la regardant rapidement, mais, bien plus, quelque chose qui se tourne avec des courbes qui s'en vont et reviennent. Elle contient même des piles rondes que je ne vois peut-être pas mais que je dessine pour obtenir une impression de consistance de cet objet. Le dessin des piles sert aussi à contrôler les proportions de la lampe de poche; si j'avais découvert que j'avais laissé trop de place ou pas assez pour les deux piles, que je sais être à l'intérieur, j'aurais raccourci ou rallongé le corps de la lampe de poche. En comparaison, le taille-crayon et le hangar sont des motifs simples, mais, eux aussi, ils peuvent irriter assez quand on ne localise pas (au moins mentalement) leurs coins et leurs arêtes. Tracer rapidement quelques lignes de construction et trouver ces coins et ces arêtes: c'est cela qui peut justement faire la différence entre un dessin bien fait et convaincant et un dessin dans lequel quelque chose ne va pas.

Ce genre de dessin est parfois appelé *dessin en transparence*. Dessinez au travers d'un objet et prenez conscience de la façon dont il se comporte quand vous ne le regardez pas.

Dans le 1er chapitre du manuel 2, nous irons plus loin en examinant l'utilité du dessin en transparence dans des objets arrondis ou dont les formes sont irrégulières. Pour l'instant, nous nous occupons plus de la boîte rectangulaire, mais même ici, c'est extrêmement utile d'être capable de voir à travers l'objet.

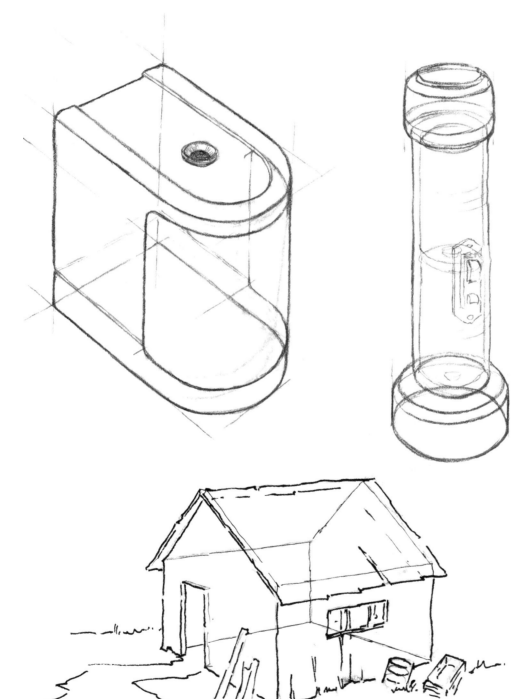

Revenons à la simple boîte et voyons comment nous en localisons les arêtes cachées. Suivez-moi pas à pas et dessinez directement sur ces esquisses.

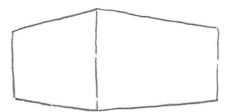

Nous voulons d'abord déterminer les points de fuite PFG et PFD. Prolongez à cet effet les lignes horizontales de la boîte jusqu'à ce qu'elles se coupent. Tracez-y le niveau des yeux (NY) en reliant PFG et PFD.

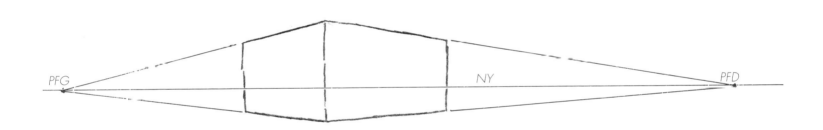

Où sont les surfaces arrière (cachées) de cette boîte? Quelles formes ont-elles et où se retrouvent-elles? Une fois que nous avons trouvé la ligne de jonction, nous avons l'arête arrière (cachée) de la boîte. C'est simple au fond. Les arêtes

horizontales cachées de la boîte obéissent aux mêmes lois que les arêtes visibles. Elles convergent obliquement vers le point de fuite qui leur revient. Reliez l'arête qui se trouve le plus à gauche au PFD.

Voyez-vous comment la ligne a marqué la pente de l'arête supérieure arrière de la boîte qui va vers son point de fuite et comment la ligne b marque l'arête inférieure arrière oblique qui se rend au point de fuite?

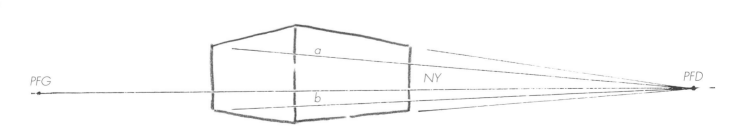

Trouver des arêtes cachées

Reliez maintenant l'arête extrême droite de la boîte à l'autre point de fuite par les lignes d et e.

Les lignes a et b allant obliquement vers la droite délimitent l'une des surfaces cachées, les lignes d et e allant obliquement vers la gauche délimitent l'autre. La ligne c se trouve là où ces deux surfaces se rejoignent: elle représente l'arête cherchée, cachée et verticale de notre boîte. Les lignes a et d devraient se recouper verticalement au-dessus du point dans lequel les lignes b et e se croisent. Mais elles ne se retrouveront jamais aussi exactement à moins que vous ne dessiniez encore plus soigneusement que moi. Ne vous en faites pas! Vous ne concevez pas d'explosifs dangereux, vous ne faites qu'esquisser une boîte. Ce n'est que si vous mettez le plus grand soin à employer toute votre géométrie que la chose sera parfaite mais le jeu n'en vaut pas la chandelle.

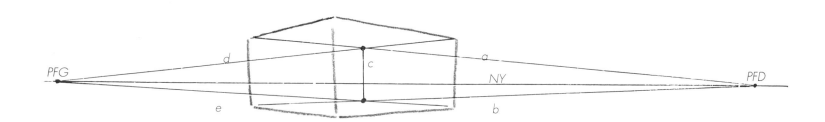

Si nous gommons les lignes de construction superflues et considérons notre boîte comme transparente, nous voyons quelque chose comme ceci. La compréhension de cette façon de construire vous permettra de dessiner en expert pour ainsi dire tout objet rectangulaire.

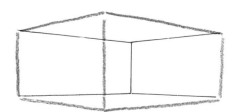

Voici une aquarelle représentant une bonne vieille grange qui avait vu des jours meilleurs. Ses arêtes «cachées» ne sont pas si cachées. On peut poser une règle sur différents bords et trouver où sont les points de fuite et où se trouve le niveau des yeux.

Phil Metzger, **Abandonnée.**
Aquarelle, 71 x 91 cm

Exercice 1/**Arêtes cachées**

Voici quelles sont les premières étapes pour faire trois boîtes. Un niveau des yeux et deux points de fuite sont indiqués pour chacune d'entre elles. J'ai fait figurer à chaque fois l'arête verticale de chaque boîte qui se trouve la plus en avant des boîtes. Complétez les boîtes, s'il vous plaît, en plaçant les lignes verticales restantes à l'endroit où vous voulez limiter les longueurs des surfaces latérales des boîtes. Si vous deviez avoir des difficultés, revenez en arrière aux pages 55 et 56 et regardez encore une fois. Utilisez un crayon gris pour les lignes visibles et des crayons de couleur pour les lignes «invisibles».

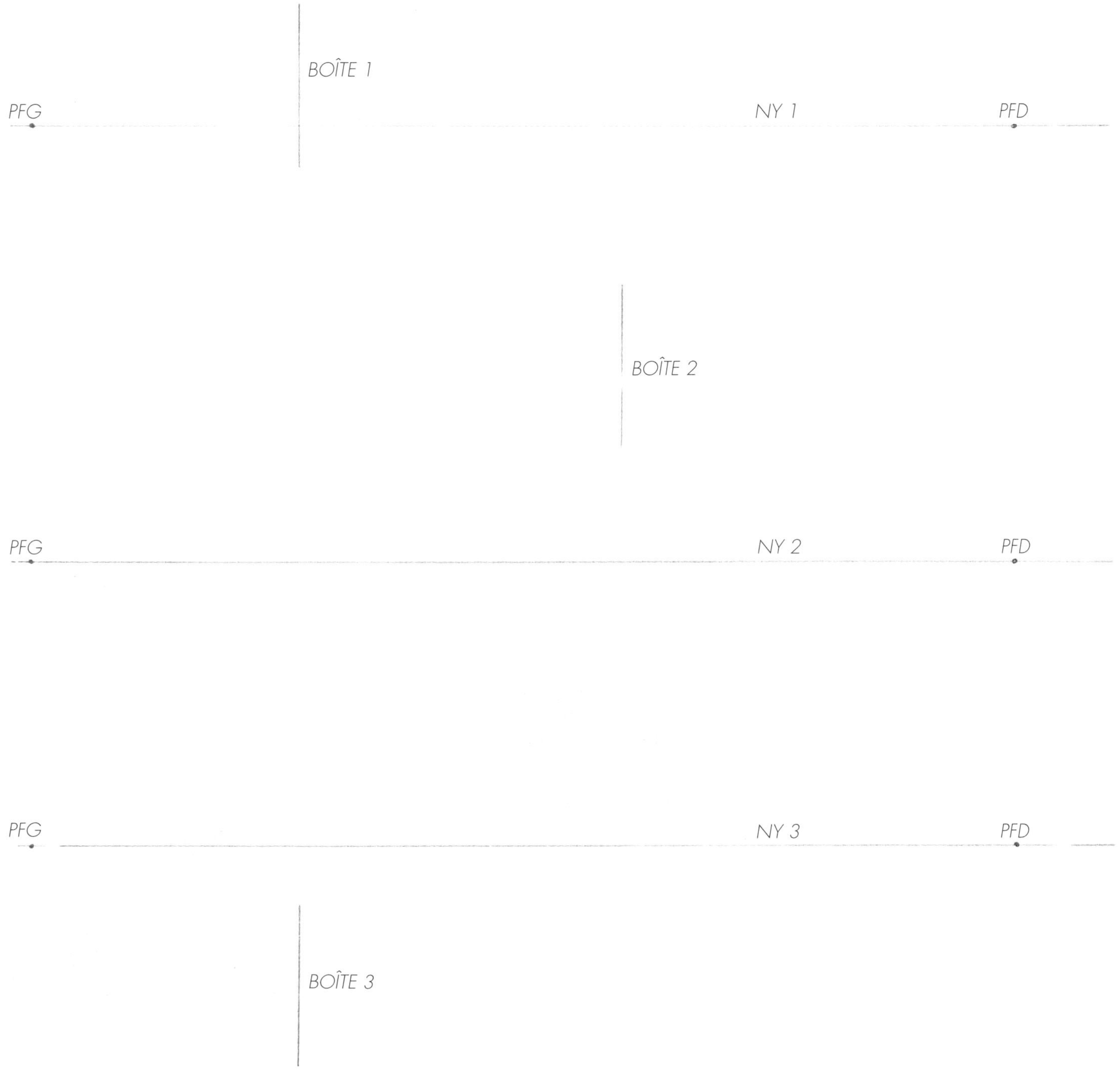

BOÎTE 1
PFG
NY 1
PFD
BOÎTE 2
PFG
NY 2
PFD
PFG
NY 3
PFD
BOÎTE 3

Jouer avec les points de fuite

Jusqu'ici, j'ai été assez dictatorial dans mes propos. Je vous ai dit où les points de fuite devaient se trouver, un point, c'est tout. Mais quand vous commencez à faire des esquisses, vous êtes seul avec vous-même. Comment voulez-vous donc savoir où doivent être placés les points de fuite?

Admettons que vous commenciez à dessiner une grange. Tout d'abord, vous devriez tracer légèrement l'arête verticale de la grange la plus proche de vous. Ensuite, vous pourriez trouver une paire d'arêtes horizontales qui partiraient de cette verticale-là pour se diriger vers un point de fuite. Supposons que les deux arêtes horizontales soient celles du faîte et de la fondation d'un côté de la grange. Vous devriez tenir une règle devant vous, la pencher de telle sorte qu'elle s'aligne à la pente de la ligne de faîte s'éloignant puis amener la règle sur le papier (en gardant la position oblique) et tracer la ligne de faîte sans appuyer le trait. Vous faites la même chose avec la ligne de fondation. L'un des points de fuite se trouve là où les deux lignes se rencontrent sur votre papier. Vous aurez bien besoin pour cela de plusieurs essais avant d'y arriver à peu près, car quand vous dirigerez la règle oblique vers le papier, vous en changerez souvent la position. Mais, avec un peu d'exercice, cela ne posera plus de problème.

Vous devriez faire la même chose avec l'autre côté de la grange. Donc: déterminez le point de fuite à l'aide de la règle.

Au cas où les deux points de fuite atterrissent bien sur la surface du papier, tout va bien, mais souvent l'un ou même les deux paraissent atterrir quelque part en dehors des limites du papier. Souvent un point de fuite semble être très loin sur le côté. Vous avez alors deux possibilités:

1. S'il vous est possible de prolonger temporairement votre feuille sur le côté à l'aide d'une feuille supplémentaire et de fixer le point de fuite sur ce papier auxiliaire, alors faites-le. Cela peut assez bien marcher si vous travaillez sur une table et si vous avez la place pour déplier le papier à gauche et à droite de votre dessin; on ne peut guère exécuter cela à l'air libre, car ce ne serait pas pratique.
2. Si vous ne pouvez pas ajouter un tel papier alors laissez et ne fixez pas concrètement de point de fuite. N'esquissez à la place que des lignes de repère, qui, si on les prolongeait assez sur le papier, iraient rencontrer un point de fuite. En d'autres termes, vous vous re-présentez mentalement où se trouve le point de fuite, mais ne le dessinez jamais réellement sur le papier. Des lignes de repère qui vont vers un point de fuite suffisent dans la pratique. La seule raison pour laquelle vous avez besoin de lignes de fuite est en fait en premier lieu qu'elles vous aident à obtenir une oblique correcte des lignes les plus variées. Votre tâche consiste donc à comparer l'oblique de toutes les lignes que vous avez dessinées à celles que vous avez reprises avec la règle. Vous pourriez utiliser bien sûr la règle pour toutes les lignes obliques que vous tracez mais c'est tout aussi fatigant qu'inutile. Si vous avez déjà tracé un nombre important de grandes lignes de repère, vous pouvez les utiliser pour apprécier l'oblique de toutes les autres lignes.

Qu'est-ce qui est autorisé?

Supposons que vous étudiez un motif, que vous le dessiniez et que vous vous décidiez ensuite à déplacer les points de fuite. Est-ce que c'est admissible? *En dessin comme en peinture, tout ce qui vous amène à votre but est autorisé.* Regardons donc les choses en face: notre vie est dominée par toutes sortes de lois qui doivent nous empêcher de nous faire du tort à nous et à nos prochains. Mais en art, vous êtes libre de faire ce que vous voulez, sauf de voler les idées d'autrui. Vous vous demanderez peut-être comment un tel principe peut être établi dans un livre rempli d'indications sur la «véritable» façon de dessiner en perspective. La réponse est la suivante: si vous commencez par apprendre d'abord à dessiner les choses comme elles sont réellement et comme la plupart des gens normaux les voient, alors vous aurez une base à partir de laquelle vous pourrez continuer à vous améliorer. Vos œuvres d'art peuvent être aussi bizarres, distordues et biscornues qu'un cerveau fou puisse les produire, cependant il est plus facile d'arriver quelque part quand on part de quelque part. Vous n'avez qu'à regarder les toutes premières œuvres de Picasso et vous comprendrez ce que je veux dire. Il partait de représentations de personnes parfaitement «normales» par exemple de gens aux membres répartis naturellement (**ci-dessus, à droite**) et il parvenait à obtenir des toiles de gens dont les parties du corps se trouvaient là où il aimait les placer (**en bas, à droite**).

Pablo Picasso. **Ambroise Vollard.**
Crayons sur papier, 46,7 x 31,9 cm.
The Metropolitan Museum of Art, New York.
Collection Elisha Whittelsey, 1947

Pablo Picasso. **Assise au bain, 1930**
Huile sur toile, 163,2 x 129,5 cm.
The Museum of Modern Art, New York.
Collection Simon Guggenheim.

Jouer avec les points de fuite

Prendre des libertés

Voici une toile que j'ai peinte à l'intérieur d'un vieux hangar qui m'appartenait autrefois. Le hangar a été disloqué par quelqu'un a'qui il servait de garage et qui avait essayé d'y faire entrer coûte que coûte une voiture trop longue. A l'aide de crics hydrauliques et en transpirant beaucoup, j'ai remonté les deux côtés de la construction qui étaient sortis des fondations. Puis j'ai ceint toute la construction d'une grosse corde que j'ai attachée aux pare-chocs de ma Chevy 1965. J'ai tiré la construction en la faisant descendre des crics pour la remettre sur les fondations. Pendant que le hangar se remettait en place plus ou moins bien en grinçant, j'évitai le regard d'une voisine qui s'amusait à me regarder. Elle était persuadée qu'il n'y avait pas que le hangar qui était disloqué.

J'avais à peu près arrangé le hangar, mais il ne retrouva plus jamais son aplomb d'autrefois. En tant que propriétaire, je n'en étais pas très content mais en tant que peintre il me plut beaucoup et je peignais assez souvent ce que je voyais là. Vous pouvez prendre une règle et prolonger quelques lignes sur ma toile, vous verrez par vous-même qu'elles se rencontrent «presque» dans des points de fuites conformes aux règles. Tout un ensemble de perspectives linéaires entre en jeu ici permettant au regard de se porter au loin grâce aux différentes ouvertures. Si quelques lignes ne rencontrent pas les points de fuite adéquats cela ne fait rien. Les lignes perspectives ont pour but d'aller dans des directions exactes; elles sont assez précises pour donner au bâtiment un aspect plausible, mais assez désordonnées pour susciter l'impression de vieillesse, dans ce cas, de mauvais traitement. Comme j'ai déjà quelque expérience dans l'observation de la manière dont les objets sont construits, j'ai pu porter un jugement raisonnable sur ce qui devait être «remis droit» dans mon dessin et sur ce qui pouvait rester de travers. J'ai pu conserver des lignes et des contours qui n'étaient pas tout à fait «corrects» sans laisser l'impression sur la toile que je ne pouvais pas mieux faire. Observez du reste que d'autres perspectives que la perspective linéaire sont en jeu:

- Modification de la grandeur: les planches du mur le plus proche sont plus larges que celles de l'appentis plus éloigné et la porte la plus éloignée paraît bien plus petite que celle qui est toute proche bien qu'elles aient la même taille en réalité.
- Modification de la valeur: le changement soudain de l'intérieur obscur à la pièce extérieure inondée de soleil et le retour à la pièce intérieure obscurcie suscite une impression de recul dans un certain éloignement. On note aussi un important changement de couleur (des couleurs chaudes à proximité et froides à distance) qui se perd naturellement dans cette illustration en noir et blanc.
- Chevauchement: les murs les plus proches chevauchent les murs les plus éloignés; la poutre de soutien se trouve devant la barrière tandis que la barrière est devant les buissons; même la pelle appuyée au mur contribue à donner du recul à ce mur.
- Disparition des contours: la précision se trouve dans le secteur de la pelle. Ce qui est le plus près est tout aussi flou que les buissons éloignés.

Phil Metzger, **Dedans-dehors.**
Aquarelle, 91 x 71 cm.

Recherche d'erreurs

Supposons que vous dessiniez un motif de plusieurs maisons de grandeurs différentes ordonnées par rapport à l'observateur dans des distances et des angles changeants. Vous avez tout dessiné dans une perspective linéaire impeccable, mais la scène paraît vraiment sans vie. Les objets sont trop bien alignés. Vos

yeux s'ennuient et vous remarquez que, d'une certaine façon, il y a quelque chose qui ne va pas. Alors, brisez l'effet statique de la scène en tournant un bâtiment dans un angle autre que celui que vous voyez réellement. Mais, strictement parlant, que faites-vous si vous tournez ce bâtiment dans un nouvel angle? Vous

déplacez ses points de fuite. Voici une esquisse dans laquelle la position de la table ne me plaît pas parce que je peux autant voir du côté gauche que du côté droit. Des objets partagés exactement en deux peuvent produire un effet de monotonie.

Donc, je tourne un peu la table mentalement et essaie de susciter une impression plus vivante. Chaque fois que vous tournez un tel objet, en vérité, vous déplacez

ses points de fuite. Vous voyez: j'ai conservé le niveau des yeux et n'ai modifié ni la hauteur de la table ni une autre caractéristique. Mais, manifestement, je

n'ai pas réussi. Il y a quelque chose qui ne va pas. Cela arrive souvent mais il n'est pas toujours évident de savoir ce qui ne va pas.

Recherche d'erreurs

Pour commencer à comprendre un objet, je trace quelques lignes de construction d'un trait léger et recherche les points d'intersection au niveau des yeux. Ces points sont mes points de fuite PFG et PFD.

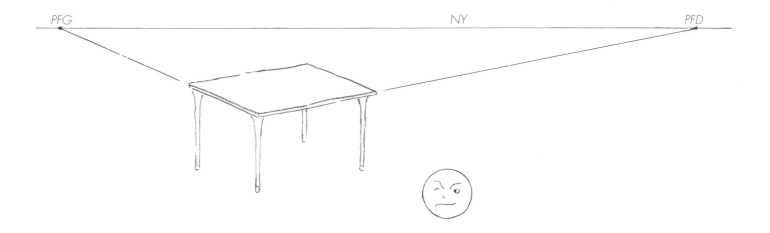

Bon, nous voulons partir du fait que je suis d'accord avec l'angle que les lignes de construction forment sur l'arête avant de la table.

Si je n'en suis pas satisfait, je dois recommencer. Cela signifie, pour parler clairement, que je dois déplacer les points de fuite de telle sorte que les lignes forment au coin de la table un angle qui me semble juste.

Maintenant, je voudrais voir si j'ai dessiné le reste de la table en l'harmonisant avec la partie avec laquelle je suis d'accord. Je trace une série d'autres lignes de construction. Il ne nous est pas difficile de constater que les arêtes arrière du plateau de la table sont assez mal réussies.

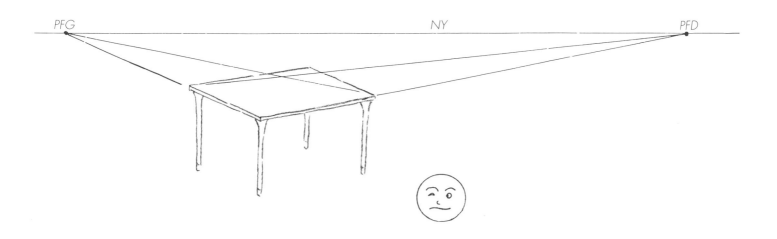

On reconnaît vite le problème. Je n'ai besoin que de faire chevaucher les arêtes de la table avec les lignes de construction.

Maintenant, je me pose des questions sur les pieds de la table. Vous attendez sûrement d'une table normale à quatre pieds que ceux-ci aient la même fonction que

les arêtes d'une boîte. Je trace donc deux autres lignes de construction et remarque que les pieds ne sont pas tout à fait corrects.

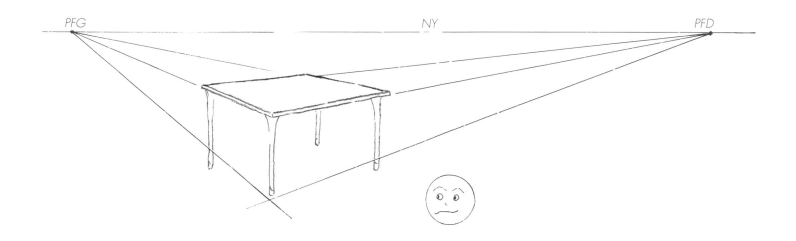

J'ai raccourci un peu le pied droit et le pied gauche pour qu'ils s'accordent aux lignes de construction. Jusqu'ici pas de problème. Pourtant le pied arrière ne me semble pas encore être juste. Pour parvenir à ce qu'il soit correct, je trace encore deux lignes de construction et là où celles-ci se coupent (en Y), cela doit être le point de base du pied arrière.

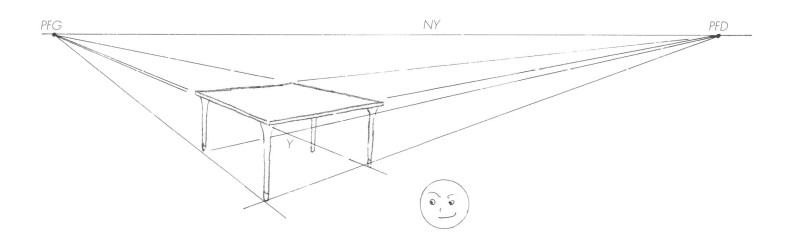

Recherche d'erreurs

J'ai amené le pied dans sa nouvelle position rendant ma table enfin acceptable.
Décalquez cette table et posez-là sur la
toute première (imprimée **ci-dessous**)
pour juger de l'effet des rectifications
que nous avons obtenues en jouant avec
la perspective.

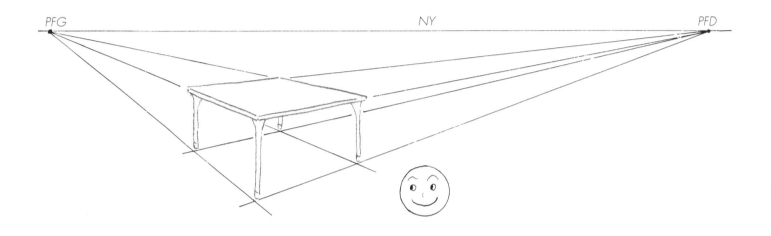

Parvenir à des déformations

Au fond, il est très simple de tourner un objet et d'utiliser ses nouveaux points de fuite pour voir si on l'a bien tourné. On peut encore jouer avec les points de fuite d'une toute autre façon. On peut les rap-procher ou les écarter pour déformer l'objet. La police n'a rien contre.

Vous avez sûrement déjà vu des illus-trations de livres ou de magazines dans lesquelles une maison hantée est repré-sentée, déformée comme celle qui se trouve **ci-dessous**.

Pour parvenir à cet effet, l'artiste a resserré très étroitement les points de fuite, pour parler en termes de perspec-tive. En réalité, l'artiste n'a certainement pas du tout pensé aux points de fuite quand il a dessiné ceci, mais il a utilisé sans aucun doute la logique de la pers-pective linéaire pour que cela fonctionne de la sorte.

Recherche d'erreurs

L'esquisse de la maison hantée **ci-dessous** montre bien de quelle façon le dessin de la page précédente utilise la perspective linéaire. Bien que les points de fuite soient plus étroits qu'en réalité, j'ai bien pris soin de faire attention à ce que toutes les lignes horizontales indiquent bien les deux points de fuite.

Dans la deuxième esquisse, j'ai dessiné la même maison hantée sans pour autant avoir une démarche logique quant aux déformations. J'ai omis d'aligner les fenêtres de droite sur le point de fuite droit. La logique intrinsèque est un élément nécessaire de chaque dessin qu'il soit déformé ou non.

Il vous est facile d'essayer vous aussi de faire des déformations. Prenez n'importe quelle photo d'une maison normale que vous avez justement sous la main, redessinez-la en gros et tracez sur le dessin le niveau des yeux et le point de fuite. Partez ensuite du même niveau des yeux mais resserrez beaucoup les points de fuite et redessinez la maison. Si vous êtes sur le point de déformer un objet, pensez toujours que la déformation doit avoir un sens, par exemple, celui de créer une atmosphère particulière.

Il n'existe pas d'emplacements absolument «corrects» pour une paire de points de fuite. Vous pourrez toujours mettre en œuvre la plus belle géométrie du monde pour dessiner n'importe quoi de bien ordonné à l'aide de points de fuite placés d'une manière parfaitement correcte, vous aurez tout de même le sentiment que l'objet ne veut pas s'emboîter dans votre dessin. Si c'est le cas, assurez-vous alors que la raison n'est pas à chercher quelque part ailleurs dans le tableau – peut-être que la grange est bien faite, mais que le paysage alentour est mal dessiné par exemple.

Reprenez alors la grange parfaite, ayez confiance en votre bon sens, en votre intuition et ajoutez ici et là quelques modifications jusqu'à ce que vous soyez satisfait du résultat. Peut-être que ce ne sera pas dans toutes les règles de la perspective mais c'est bien ainsi. Vous voyez dans ma maison penchée que de nombreuses de lignes perspectives chancèlent sur le chemin qui les mène au point de fuite; quelques-unes passent complètement à côté. Au bout du compte, ce qui est important c'est que vous sentiez que, pour vous, la toile est correcte; peu importe la manière utilisée pour y parvenir. J'ai déjà vu maints bâtiments et natures mortes dessinés à la perfection (parmi lesquels un grand nombre étaient de ma main) qui n'allaient pas parce qu'ils étaient trop exacts, trop «justes», trop impersonnels.

Je me rappelle quelques dessins de l'une de mes classes dans lesquels il fallait voir des granges délabrées; elles étaient faites dans une perspective si parfaite qu'elles avaient l'air complètement neuves.

Il est essentiel que vous utilisiez les lois de la perspective de telle sorte que le bâtiment ait, dans sa structure, un rapport logique, que vous reconnaissiez le vieillissement de ce bâtiment survenu au cours des années pour qu'il sorte complètement de la perfection originelle de sa forme et dessiniez alors ce que vous voyez. Rien que de savoir quelle apparence devrait avoir un bâtiment intact à l'origine vous autorise à vous servir avec plus d'efficacité, instruit que vous êtes, de la liberté artistique. Cette remarque est valable pour tout ce que vous voulez dessiner: personnes, plantes, animaux, enfin tout.

Vous avez ici plusieurs boîtes avec l'indication du niveau des yeux. Déterminez approximativement où se trouvent les points de fuite en prolongeant les lignes correspondantes jusqu'au point d'inter-section du niveau des yeux. Puis déplacez les points de fuite en les rapprochant des objets et redessinez ceux-ci.

A l'aide de la feuille d'exercice de la page suivante, essayez plusieurs autres emplacements de points de fuite et observez l'effet de ce déplacement sur le dessin qui en résulte. Dans cet exercice, laissez toutes les lignes verticales, verticales.

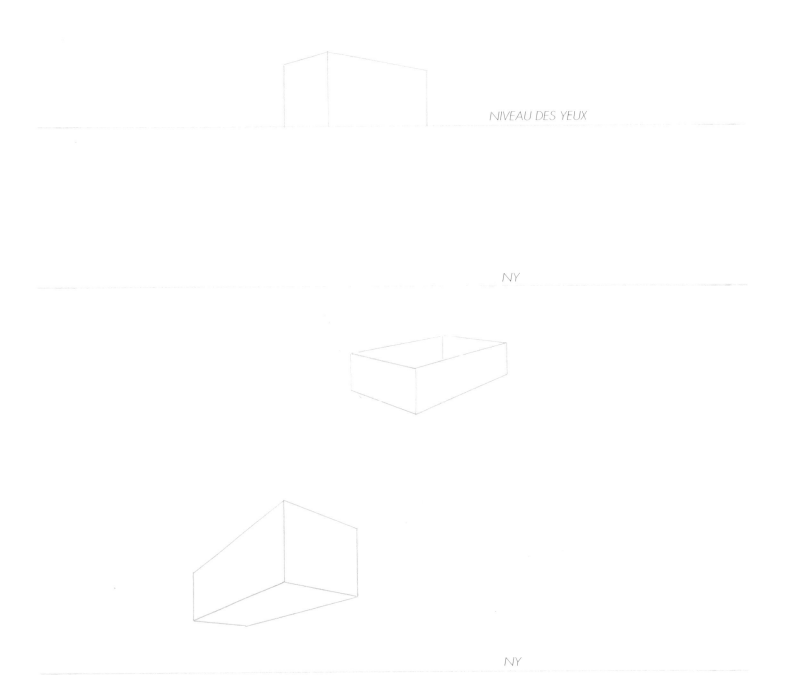

NIVEAU DES YEUX

NY

NY

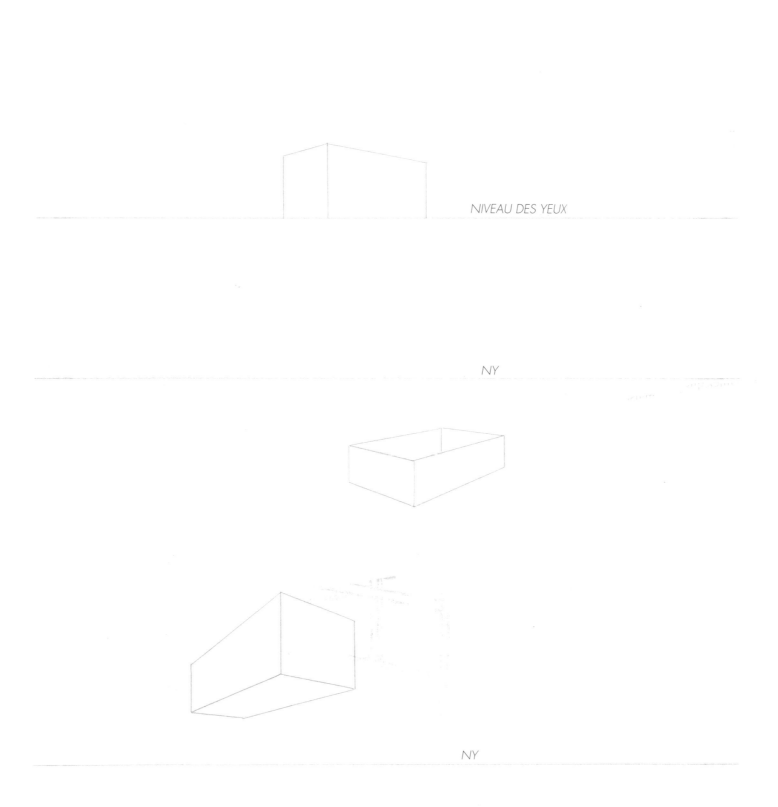

NIVEAU DES YEUX

NY

NY

Bien déterminer les angles

Dessiner des objets dans une perspective linéaire convaincante exige que l'on observe continuellement les angles dans lesquels les lignes différentes se rejoignent. A moins que vous ne regardiez une chose d'en haut, vous n'aurez pas souvent affaire à de beaux angles, bien faits et droits (des angles donc dans lesquels une ligne verticale en rencontre une autre).

Regardez ce fichier dans une perspective à deux points. En réalité, tous les angles marqués (a, b, c etc.) seraient tous de la même grandeur s'il s'agissait d'une boîte bien construite. Ils seraient tous à 90°. Mais comme la boîte est présentée dans une perspective linéaire, ils n'ont pas tous 90°, oui, ils diffèrent tous les uns des autres. L'angle a a 79°, b 104°, c 113°, d 66° etc. Si vous ne me croyez pas, prenez donc un rapporteur et remesurez les angles avec soin et contrôlez. Mais en fait, il n'est pas important de savoir combien de degrés a un angle. Nous voulons seulement réussir à donner à l'objet un bon aspect sur le papier. Comment vous y prenez-vous sans pour cela mettre Euclide à contribution?

Imaginez que vous vous trouviez devant une magnifique maison ancienne de style victorien située sur une colline. La maison offre tous les angles et arrondis possibles et elle a même une tour hexagonale sur le côté. Vous êtes impatient de commencer à dessiner cet objet digne d'une architecture de pâtissier, mais ce que vous devez faire tout d'abord, c'est décider de quel endroit vous voulez faire ce dessin. Après avoir fait le tour de la maison, l'avoir étudiée avec attention et avoir décidé de l'angle de vision le meilleur pour vous, vous vous arrêtez, montez votre chevalet et fixez, contrarié, le papier immaculé. Peut-être que vous ébauchez quelques petites esquisses pour ordonner l'arrangement des contours principaux sur le papier et pour qu'on sache d'où doit venir la lumière. Voulez-vous reprendre ombres et lumières telles que vous les voyez maintenant ou voulez-vous les changer comme bon vous semble? Vous prenez quelques notes pour retenir vos idées et pour pouvoir vous rappeler plus tard, une fois que le soleil aura tourné et vous aura troublé, comment vous vouliez l'avoir exactement.

Après avoir déterminé l'ordre des grandes formes sur la toile (la maison en elle-même, la colline sur laquelle elle se trouve, quelques arbres, le chemin ou la route, le ciel, le premier plan, etc.), vous n'ébauchez ces contours sur le papier que très légèrement et grossièrement.. Un petit nombre de gens seulement est capable de commencer tout de suite une version définitive et clairement déterminée d'un dessin à un endroit de la feuille et d'arriver de l'autre côté du papier sans sortir de cette surface ou avoir de la place en trop sur le papier.

Après environ huit tasses de café, vous serez prêt à faire le premier dessin correct. Vous faites quelques traits hésitants au crayon pour décrire les murs et le toit et vous remarquez rapidement que les détails ne se rencontrent pas dans les bons angles. Le toit est plus oblique que vous ne l'aviez prévu. Il serait mieux de le contrôler, mais comment faire?

Supposez qu'il y ait entre vous et la maison, au bout de votre bras, une vitre verticale qui serait fixée d'une façon ou d'une autre pour ne pas tomber. Si vous ne bougez pas de votre place et que vous dessinez sur cette vitre (avec un crayon gras, par exemple), vous pourriez dessiner toute la maison en la «décalquant» sur la vitre. Vous feriez simplement une copie de chaque ligne de la maison, telle que vous la voyez au travers du verre et le résultat serait parfaitement fidèle au modèle.

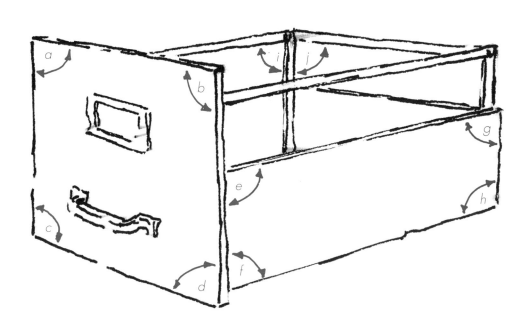

Bien déterminer les angles

Se promener avec une vitre n'est pas pratique et en outre vous voulez avoir votre dessin sur le papier. Qu'est-ce qu'il faut faire alors? Allez chercher votre rapporteur-ciseaux que vous avez fabriqué au chapitre 1. Vous rappelez-vous? Il ressemble à celui que vous voyez sur le dessin **ci-dessous**. Maintenant, imaginez que vous avez devant vous une vitre verticale. Tenez le rapporteur à plat devant la «vitre», bras tendu, comme on vous le montre **ci-dessous**.

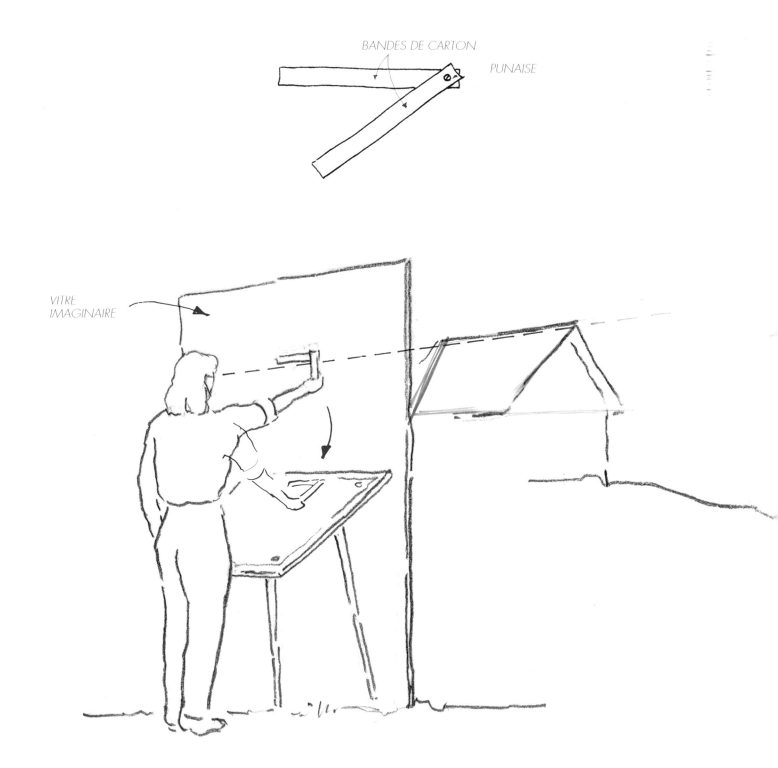

BANDES DE CARTON

PUNAISE

VITRE IMAGINAIRE

De votre main libre, ouvrez les deux branches de l'appareil que vous tenez toujours à plat contre le verre imaginaire en les adaptant à l'angle qui vous intéresse – peut-être s'agit-il d'un angle que le faîte forme avec n'importe quelle verticale de la maison ou avec le bord vertical de la feuille comme on vous le montre **ci-contre**.

Une fois que vous avez le bon angle, amenez le rapporteur avec précaution à l'endroit correspondant sur votre papier à dessin, portez la branche verticale sur le bord vertical de la feuille et tracez l'angle comme **ci-dessous**.

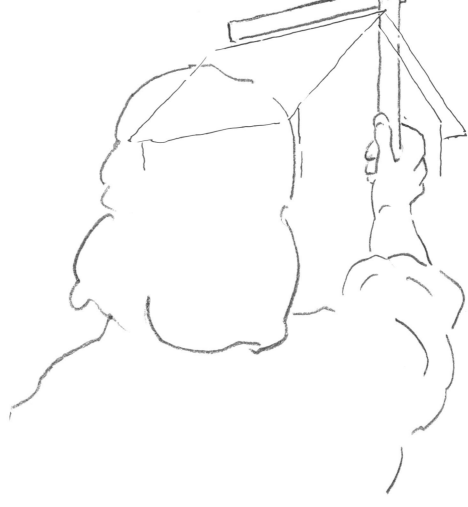

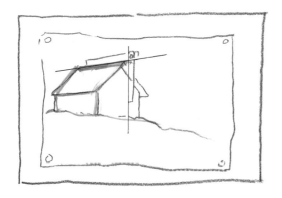

Une autre possibilité

Il existe une méthode encore plus simple pour obtenir un bon angle, une méthode que nous avons brièvement mentionnée précédemment. Bien qu'elle risque de favoriser un peu plus les erreurs que la méthode utilisant le rapporteur, elle est pratiquement employée par tous les artistes. Au lieu de prendre l'angle d'ouverture effectif des deux lignes, prenez seulement l'oblique de chaque ligne en particulier. Si vous le faites assez soigneusement, vous couperez les lignes sur

le papier dans le même angle que les lignes de l'objet éloigné que vous êtes en train de dessiner.

Tenez simplement une règle (un crayon, un pinceau) à bout de bras en direction de la ligne dont vous voulez déterminer l'inclinaison. Tenez la règle à plat contre une vitre imaginaire entre l'objet et vous de la même façon que si vous teniez le rapporteur. Inclinez la règle jusqu'à ce qu'elle concorde avec la ligne que vous voulez reporter.

Déplacez la règle avec précaution jusqu'à votre papier à dessin en conservant l'inclinaison. Ce faisant, ne tournez pas le poignet et ne pliez pas le coude. La pente souhaitée est obtenue selon la façon qu'a la règle d'arriver sur le papier. Faites la même chose avec les autres lignes dont vous voulez déterminer les inclinaisons.
Ici, tout l'art consiste uniquement à ne pas donner une mauvaise inclinaison à la règle quand on la descend sur le papier.

Cherchez une fenêtre au travers de laquelle on peut voir quelque bâtiment ou d'autres objets et dessinez avec un crayon gras ou avec quelque autre crayon effaçable. Une fois que vous avez pris votre position, ferme sur vos pieds et votre tête dans une certaine direction, alors ne bougez plus ni vers le haut, ni vers le bas, ni latéralement. Sinon, vous changerez ce que vous percevez au travers de la vitre. Si vous avez une porte en verre dans votre maison ou votre atelier, alors utilisez-la pour faire une toile d'intérieur. Vous pouvez ouvrir la porte en grand ou l'entrebailler pour la mettre au point sur un détail particulier de la pièce qui se trouve derrière. Bloquez-la ensuite pour qu'elle ne puisse plus bouger et commencez à dessiner. Vous pourriez même vous rendre en voiture à un endroit adéquat et dessiner sur la vitre de celle-ci. Vous obtiendriez en tout cas un dessin qui serait sans faute, y compris les angles et tous les autres points de perspective. Ce faisant, vous utilisez la vitre comme feuille de papier-calque. Une autre possibilité consiste à coller du papier-calque fin ou une feuille de plastique transparente sur la fenêtre: vous n'avez pas besoin alors de peindre directement sur la vitre.

Le centre perspectif

Il est souvent nécessaire de marquer le centre d'un objet parce que l'on doit dessiner par exemple une porte qui se trouve exactement au milieu de l'objet dessiné. Si l'objet apparaît en perspective, il est aussi nécessaire de savoir où se trouve son centre; nous parlons donc maintenant du centre perspectif.

Tout d'abord: où est le centre réel du rectangle? Si vous vous rappelez votre géométrie scolaire, vous n'avez besoin que de tirer les diagonales dans le rectangle. Leur point d'intersection en est le centre.

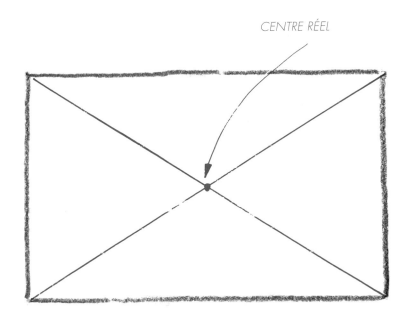

CENTRE RÉEL

Admettons que le rectangle se trouve en biais par rapport à vous, c'est-à-dire qu'il se plie à la perspective. Où en est le centre maintenant? Ou plutôt posons la question plus précisément: où est le centre perspectif? Même réponse qu'avant: tirez les diagonales et le centre perspectif se trouvera aussi là où elles se rencontrent.

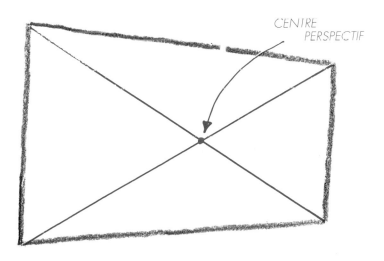

CENTRE PERSPECTIF

L'utilisation du centre perspectif

Vous voulez dessiner en perspective la façade d'un grand magasin avec son enseigne, par exemple, et vous voyez bien en perspective les lettres de l'enseigne. Vous trouvez le «centre» de l'enseigne grâce au point d'intersection des diagonales, vous mettez la lettre du milieu dans le centre perspectif et répartissez les autres lettres à droite et à gauche en écartant un peu plus les lettres qui sont plus près de vous que celles qui sont plus loin (**ci-dessous, à droite**).

Ou admettons que vous vouliez trouver le centre perspectif du pignon d'une maison afin de pouvoir placer correctement le sommet de ce pignon. Pour plus de facilité, nous allons prendre une maison en jouet sans toit saillant ou autres complications. La maison est représentée

en haut, à gauche comme elle apparaîtrait si elle était de face.

Si, maintenant, nous la tournons de telle sorte que nous la voyons en perspective à deux points (**au centre, à gauche**), la médiane n'est plus à mi-chemin entre les deux arêtes de la maison. Vous ne pouvez pas les fixer avec un centimètre. Vous n'avez besoin que de tirer les diagonales en passant par les coins de la maison (ce faisant, vous délaissez pour le moment le triangle du pignon) pour obtenir la médiane perspective. Tracez une verticale au point d'intersection des diagonales. Le sommet du pignon se trouvera sur cette ligne.

On ne trouvera probablement jamais de maison construite comme celle que nous venons de décrire. On rencontrera

plus souvent une construction comme **ci-dessous, à gauche**. Dans cet angle de vision, le sommet du pignon est caché par le toit, de même que l'un des coins au travers duquel vous fixeriez vos diagonales. Si vous dessinez une telle construction à coins cachés, commencez alors à vous fier comme toujours à ce que vous voyez. C'est seulement si vous avez le sentiment que le résultat n'est pas tout à fait comme il devrait être que vous pouvez le reprendre et faire une petite construction supplémentaire. Esquissez sans appuyer le pan de pignon de la maison tel qu'il apparaîtrait sans le toit saillant. Puis ajoutez le toit. Un exercice qui se trouve plus loin dans ce manuel reviendra plus en détail sur ce procédé.

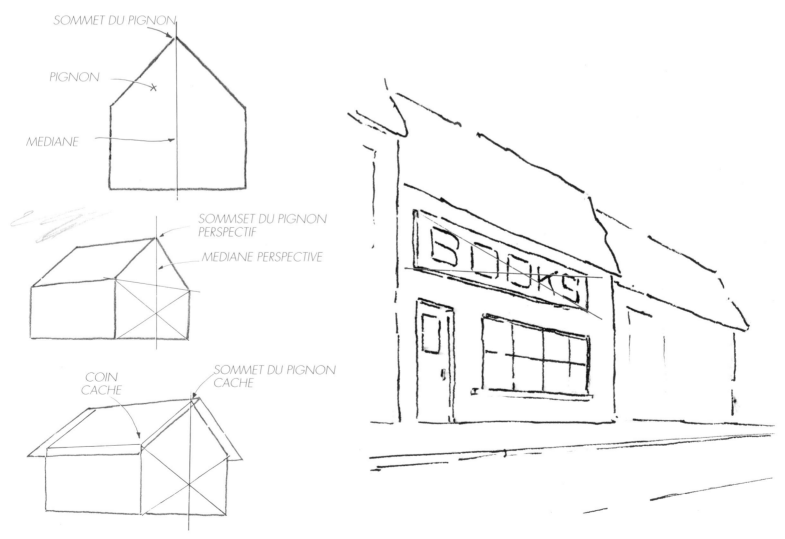

SOMMET DU PIGNON

PIGNON

MEDIANE

SOMMSET DU PIGNON PERSPECTIF

MEDIANE PERSPECTIVE

COIN CACHE

SOMMET DU PIGNON CACHE

Dans ces dessins au trait, on a mal placé les «centres» des frontispices. Pour corriger la forme du pignon, commencez par tracer les diagonales et déterminer le centre perspectif. Après cela, prolongez la ligne de faîte et faites traverser la verticale par le centre perspectif qui coupe ensuite la ligne de faîte. A partir de là, vous devriez être en mesure de corriger le pignon.

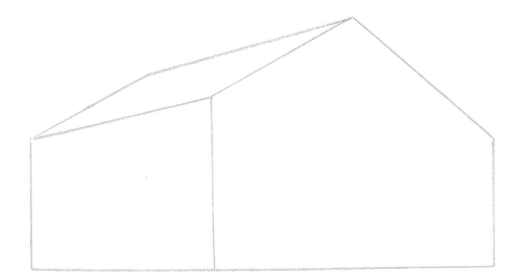

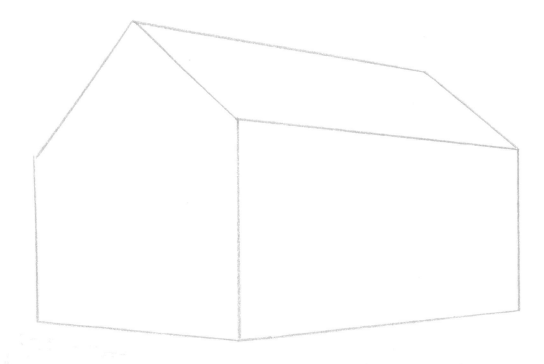

L'utilisation du centre perspectif

Placer une porte ou une fenêtre

Plusieurs possibilités se présentent pour munir d'une porte le pan de pignon d'une maison et je voudrais vous en montrer une ici. Mais nous voulons d'abord commencer par une porte toute faite et exprimer quelques observations pour que vous puissiez reconnaître au cours des différentes phases de construction où nous voulons en venir.

Ce qui va vous frapper tout d'abord, c'est que dans la perspective de face (**ci-dessous, à gauche**) dans laquelle tout est exactement centré, l'intervalle a est le même que l'intervalle b. De la même façon, il y a à gauche de la médiane autant d'espace par rapport à la baie qu'à droite. Jusqu'ici pas de surprise.

Par contre, dans la vue en perspective, l'intervalle b est plus grand que a et, à droite de la médiane perspective, il y a plus d'espace par rapport à la baie qu'à gauche. Tout paraît raccourci dès qu'on

s'éloigne. Observez le linteau et le pas de la porte qui sont de simples lignes horizontales dans la vue de face et sont inclinés vers le point de fuite gauche dans la vue en perspective. Vous devriez faire constamment attention à ces choses quand vous dessinez.

Encore une fois: dessinez ce que vous voyez, mais, dès que vous avez des difficultés, exécutez une petite construction de base (que cela soit sur le papier ou seulement mentalement) pour ordonner les proportions.

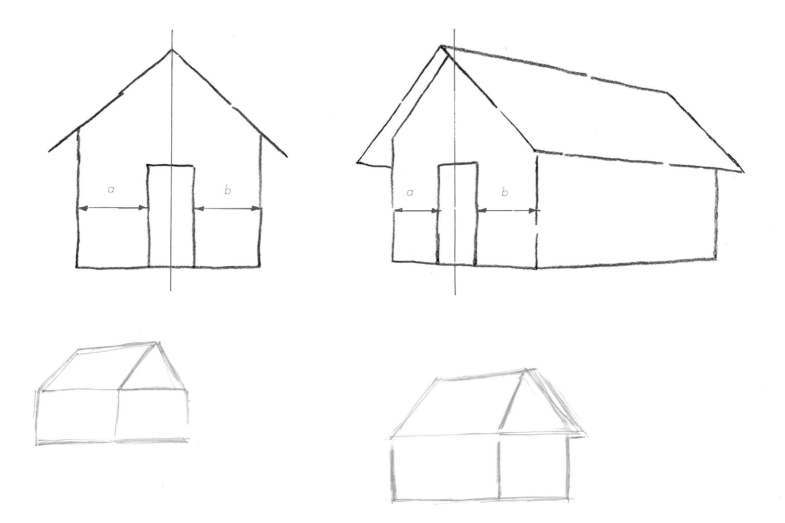

Voyons maintenant comment on installe en pratique une porte dans le centre perspectif d'un mur. Commençons par un mur dont nous avons déjà établi la médiane perspective. L'arête supérieure de la porte est déjà marquée.

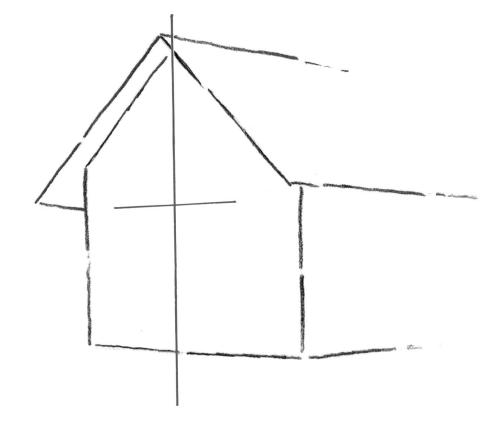

Le procédé le plus simple (il existe d'autres méthodes qui recourent davantage à la géométrie) consiste à évaluer l'endroit où vous voulez avoir l'une des délimitations verticales de la porte et à marquer celles-ci. J'ai choisi ici le côté droit.

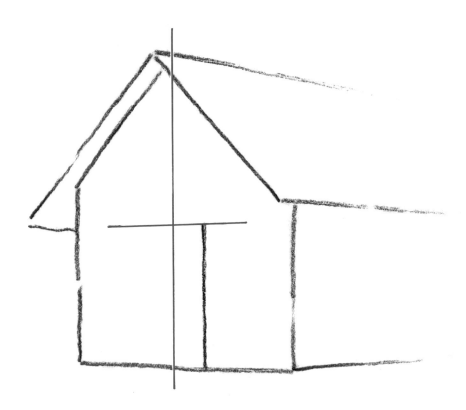

L'utilisation du centre perspectif

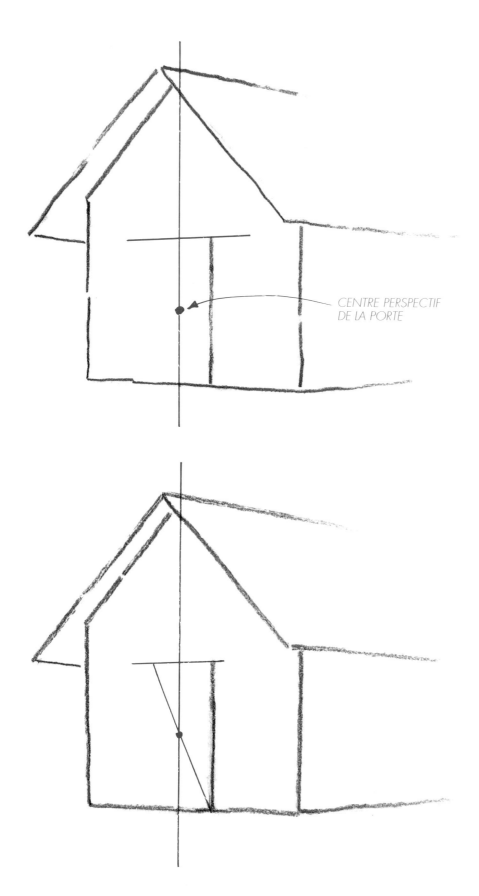

CENTRE PERSPECTIF
DE LA PORTE

En pratique, je reporterai simplement le bord gauche de la porte un peu plus près de la médiane perspective que le droit. Mais pour obtenir la position correcte, conforme à la construction, on marque le milieu de la hauteur de la porte. Mesurez cette hauteur à l'aide d'un centimètre entre le bord supérieur et le bord inférieur de la porte ou ne mesurez qu'à vue d'œil. Dans la pratique normale, c'est le milieu de la porte.

Tracez maintenant l'une des diagonales de la porte en tirant une ligne qui passe par l'un des coins et par le centre perspectif. J'ai dessiné celle qui va d'en bas à droite en haut à gauche.

Tirez une verticale qui passe par le point dans lequel la diagonale coupe le bord supérieur de la porte. La porte est maintenant tracée dans une perspective parfaite.

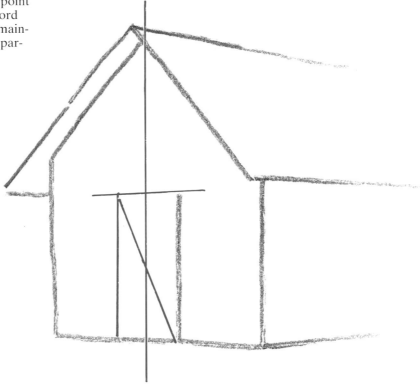

Dans un dessin comme **ci-dessous**, il est essentiel que l'on reconnaisse comment chaque ligne droite se trouve raccourcie plus l'intervalle par rapport à l'observateur augmente. On peut toujours se procurer très vite un bon point de repère pour savoir où de tels objets comme les portes et les fenêtres doivent aller quand on commence par placer le centre perspectif à l'aide de l'intersection de deux diagonales. Même si les objets que l'on doit placer ne sont pas centrés mais qu'ils sont répartis régulièrement sur un mur (comme par exemple une rangée de fenêtres), il est toujours utile de fixer le centre perspectif et d'ordonner ensuite les choses des deux côtés de ce centre grâce à la bonne vieille mesure à vue d'œil.

Observez que j'ai fait trois choses pour augmenter l'impression de profondeur: 1. les fenêtres deviennent progressivement plus petites, 2. leurs intervalles se raccourcissent graduellement, et 3. la partie gauche du mur où se trouve la première fenêtre est plus large que celle de droite où se trouve la dernière fenêtre. Rappelez-vous que le bâtiment que vous êtes en train de dessiner n'est pas construit dans une symétrie aussi nette. Il n'y en a pas beaucoup qui le sont et c'est justement ce qui fait leur charme. Mais, s'il vous plaît, n'oubliez pas ceci: si vous comprenez bien ce qui importe vraiment dans une figure symétrique, vous pouvez transposer ce savoir dans vos dessins et saisir ce qui se passe même quand les choses sont moins ordonnées.

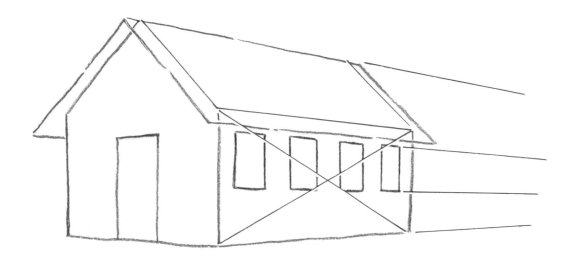

Mettez s'il vous plaît une baie de porte et deux baies de fenêtres sur le côté longitudinal de cette maison en procédant par étapes comme nous l'avons représenté sur la page de droite. Pour faciliter la tâche, j'ai ébauché les lignes de la maison sous la saillie du toit.

Etape 1: Tracez les diagonales de la façade latérale de la maison et localisez le centre perspectif.

Etape 2: Tirez une légère ligne de construction qui marque le bord supérieur de la porte et des fenêtres. Elle devrait être inclinée en direction du point de fuite droit. De la même façon, tracez une ligne pour les bords inférieurs des fenêtres.

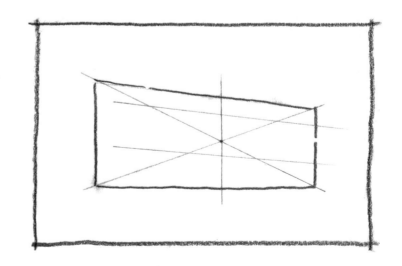

CENTRE
PERSPECTIF

Etape 3: Tracez la baie en suivant la méthode décrite dans le texte.

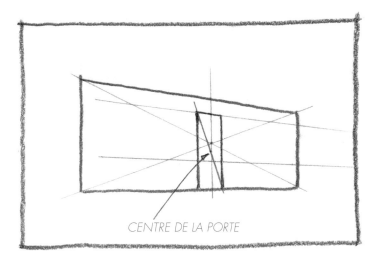

CENTRE DE LA PORTE

Etape 4: Trouvez le centre perspectif de la surface murale à gauche de la baie.

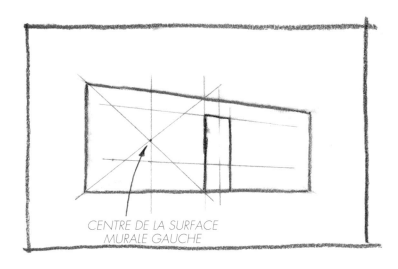

CENTRE DE LA SURFACE
MURALE GAUCHE

Etape 5: Tracez une verticale là où vous voulez avoir un côté de la fenêtre (j'ai pris le côté droit). Tracez la diagonale de la fenêtre.

Etape 6: Tracez une ligne verticale qui passe par le point d'intersection des diagonales et du bord supérieur de la fenêtre. Ceci est l'autre côté de la fenêtre. Il s'agit du même procédé utilisé précédemment pour la construction de la porte. Trouvez maintenant le centre perspectif de la surface murale, à droite de la baie de la porte et construisez la fenêtre droite de la même façon que la gauche. Si vous avez encore envie de faire des expériences de ce genre, essayez de construire une petite fenêtre dans la porte.

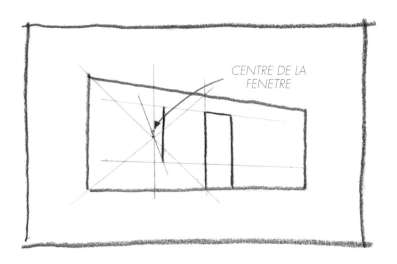

CENTRE DE LA
FENETRE

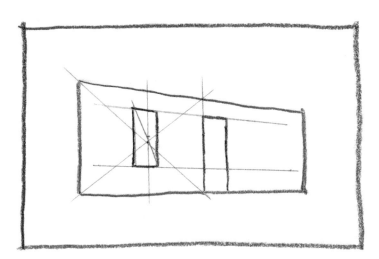

Des boîtes dans des boîtes

De nombreux objets sur vos dessins et peintures peuvent être des bâtiments, des véhicules, des machines, des meubles etc. qui ont l'air compliqué. Cependant, la plupart d'entre eux ne sont pas si compliqués que vous croyez. Il s'agit souvent de disposition de boîtes en perspective, assemblées à d'autres. Si vous les considérez sous cet aspect, le travail de dessin sera bien plus simple.

Voici quelques exemples de boîtes à l'intérieur de boîtes comme «des dessins en explosion» pour illustrer que chaque pièce détachée est assez simple en soi. Comme premier exemple, un regard sur mon bureau qui, normalement, a vraiment l'air d'avoir explosé (**ci-dessous**).

Pour l'exercice, regardez des choses quotidiennes autour de vous: des bibliothèques, des vitrines, des ordinateurs, des jouets, des maisons, des chaises etc. et essayez de les dessiner à la manière «explosée». Ne vous donnez pas la peine de les représenter d'une manière pointilleuse et techniquement sans faille – essayez simplement de détecter si vous pouvez mettre mentalement en morceaux un objet dans un ensemble de pièces plus ou moins rectangulaires et si vous pouvez le dessiner en traits grossiers dans une perspective linéaire. Plus vous ferez cet exercice avec intensité et plus prendrez de l'assurance quant à l'appréciation du volume et des arêtes cachées des choses.

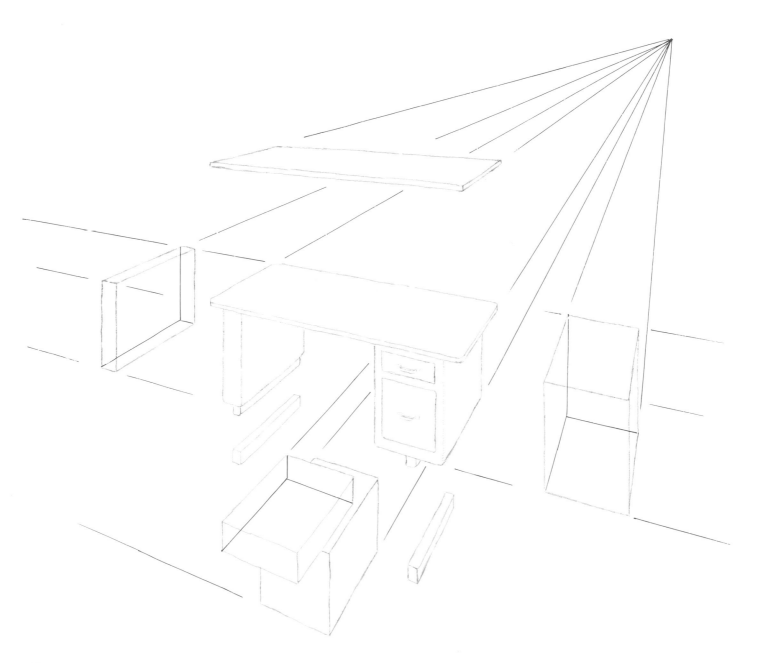

Jusqu'ici, j'ai parlé de «baies de portes» au lieu de «portes» et de «baies de fenêtres» au lieu de «fenêtres». J'ai fait cela pour ne pas compliquer les dessins par des réflexions à propos de l'épaisseur des objets. Par baie de porte, on peut comprendre un trou sans épaisseur tandis qu'une porte est, en revanche, un morceau de matière qui a bien une épaisseur. Sur le dessin de l'explosion d'une maison (**ci-dessous**), j'ai représenté l'épaisseur de différentes parties de la

maison pour bien mettre en valeur qu'il s'agit la plupart du temps, et c'est le cas ici aussi, de boîtes – minces certes, mais ce n'en sont pas moins des boîtes, et comme toutes les boîtes, elles se soumettent, elles aussi, aux lois de la perspective linéaire. Vous voyez par exemple que les fenêtres sont des boîtes ou des plaques dotées de lignes perspectives propres à chacune d'entre elles et s'en allant obliquement.

C'est la façon dont les choses sont re-

liées qui est intéressante. Quand deux boîtes sont reliées entre elles à angle droit, comme par exemple la cheminée sur le mur latéral de la maison, alors leur jonction est définie comme une ligne droite. C'est simple. Mais là où des surfaces obliques se rencontrent comme par exemple des toits, leur ligne d'intersection sera souvent bizarrement de travers. Nous nous occuperons de cette forme de construction en bois dans le chapitre 2 du manuel 2.

L'exercice 6 vous montre comment construire une maison. Elle est peut-être simple, mais la construction peut tout de même être bien embrouillée. C'est pourquoi, suivez scrupuleusement, s'il vous plaît, les étapes de l'exercice. Quand vous serez vraiment maître de cet exercice, alors vous parviendrez en effet à vous tirer de la perspective à deux points de pratiquement toute figure rectangulaire.

Je propose que vous commenciez à vous procurer une vue d'ensemble de toute la série des étapes que j'ai énumérées à partir des pages 88/89, puis que vous retourniez au début et que vous construisiez la maison avec moi en utilisant les feuilles d'exercice des pages 86/87. N'oubliez pas que la maison est transparente et que vous pouvez voir ainsi tous ses angles et toutes ses arêtes.

Tirez les lignes de construction d'un trait fin, au crayon gris ou de couleur, et mettez certaines parties en valeur à l'aide de traits plus accentués pour donner une idée de la figure qui en résulte. Vous pouvez gommer les lignes de construction dont vous n'avez plus besoin, mais, attention, ne vous précipitez pas trop, car vous souhaiterez quelquefois avoir encore à votre disposition une ancienne ligne de repère.

Une fois terminé, vous voulez peut-être donner plus de réalisme à votre maison de traits, stérile et abstraite, en octroyant au toit d'une certaine épaisseur et en ajoutant des détails comme gouttières, vitres aux fenêtres etc.

Vous avez la place de faire un grand nombre d'essais sur les feuilles d'exercice. Je vous propose d'en exécuter un, aussi exactement que moi (je vous ai préparé beaucoup de lignes de sortie et de points de fuite). Ensuite, exécutez toutes les étapes encore une fois mais avec une maison différente de la précédente: d'une autre dimension par exemple, ou installée un peu plus au dessus ou en dessous du niveau des yeux. Préparez-vous à quelques singularités qui dépendent de l'endroit où vous placez votre maison. Par exemple, si vous considérez une maison qui se trouve assez haut, au-dessus de votre niveau des yeux, il se peut que vous ne puissiez rien voir de la surface extérieure du toit; tout ce que vous voyez est le bord de la gouttière du côté du toit qui vous est le plus proche ainsi qu'un peu du dessous de la partie du toit qui est la plus éloignée de vous. Si, au contraire, vous regardez la maison d'en haut, à pic, vous ne verrez guère plus que son toit.

NIVEAU DES YEUX

En dessinant une maison vue d'une certaine hauteur, on parvient à un résultat complètement différent de celui que l'on a au niveau du sol ou même vu de dessous. Essayez des niveaux des yeux et des angles différents pour vous familiariser avec de tels effets.

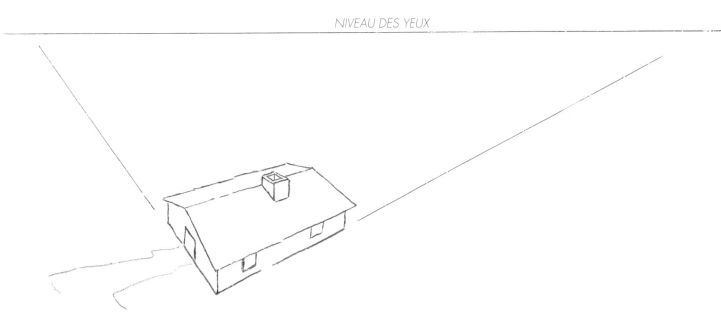

NIVEAU DES YEUX

Exercice 6/**Nous construisons une maison en verre**

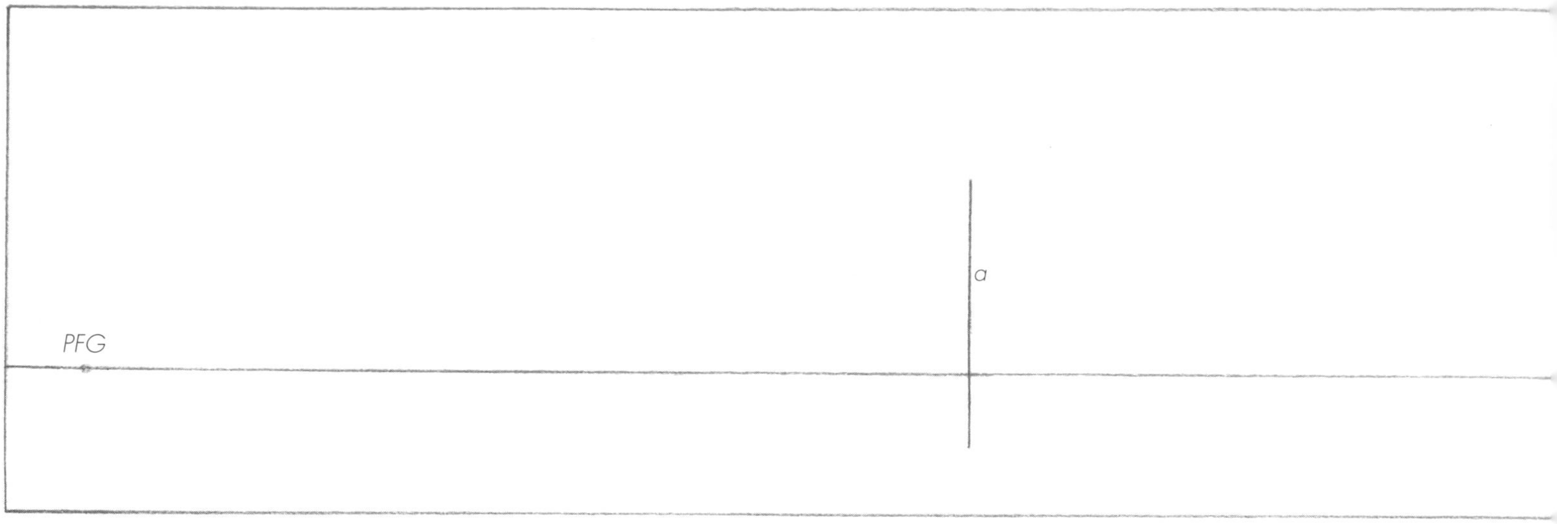

PFG

a

Suivez s'il vous plaît les instructions graduelles qui commencent à la **page 89.**

PFD

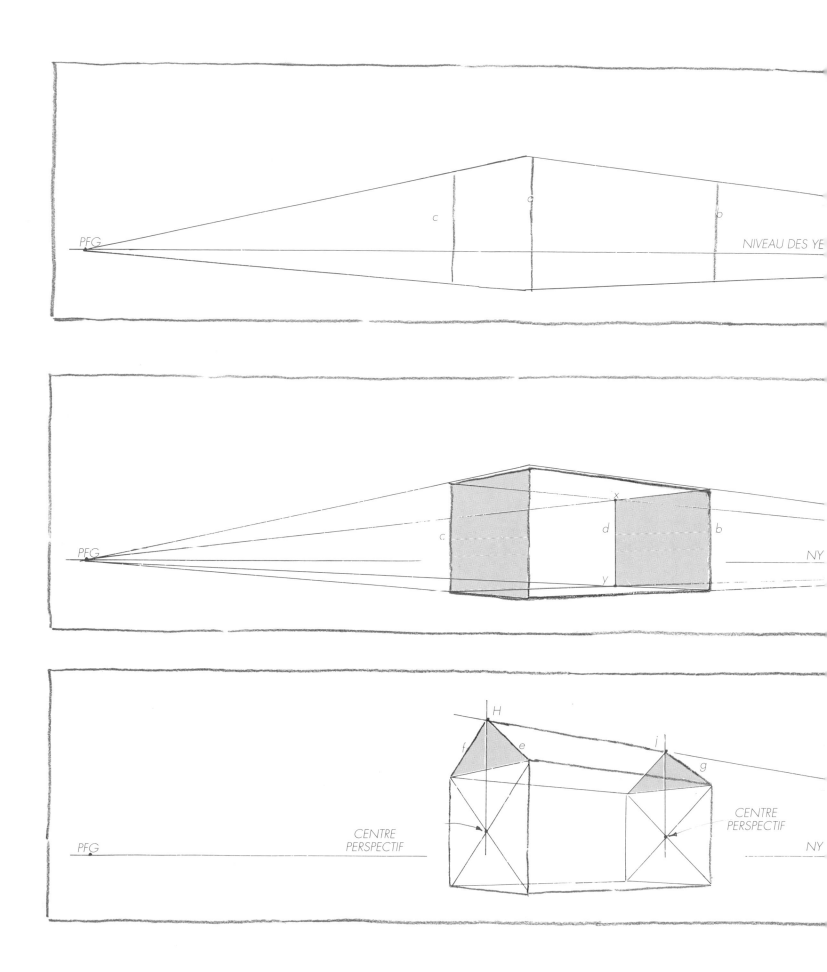

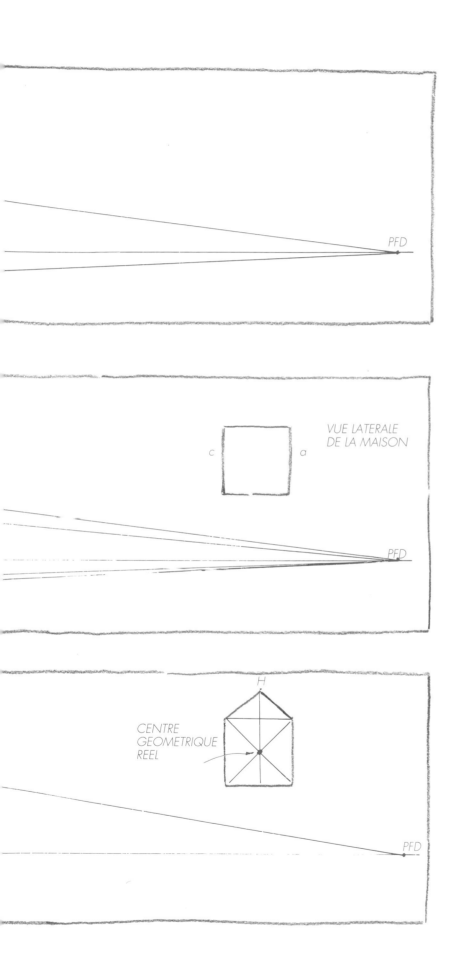

VUE LATERALE
DE LA MAISON

c   a

CENTRE
GEOMETRIQUE
REEL

H

PFD

Niveau 1

Etape 1: Fixez le niveau des yeux

Etape 2: Tracez la toute première arête verticale a

Etape 3: Choisissez les points de fuite gauche et droit, PFG et PFD. Je les ai amenés assez près du bâtiment pour qu'ils tiennent encore sur la surface du papier.

Etape 4: Reliez le sommet et le point de base de a aux deux points de fuite.

Etape 5: Choisissez la longueur du côté droit de la maison et tracez l'arête verticale b. Faites la même chose à gauche et tracez l'arête c. Deux côtés de la maison sont maintenant montés.

Niveau 2

Etape 1: Cherchez maintenant l'extrémité droite (cachée) de la maison. Reliez le sommet et le point de base de l'arête verticale c au PFD; reliez le sommet et le point de base de l'arête verticale b au PFG.

Etape 2: Traccz l'arête verticale (cachée) d que l'on obtient en reliant les points d'intersection X et Y.

Etape 3: Ombrez légèrement les extrémités de la maison à l'aidc d'un crayon gris ou de couleur tenu à plat pour rendre la structure plus distincte.

Niveau 3

Etape 1: Surmontez la maison de ses pignons (les extrémités triangulaires). Pour ce faire, commencez par fixer le centre perspectif de l'extrémité gauche de la maison. Tirez les diagonales; le centre perspectif est en leur point d'inter-section.

Etape 2: Tracer la verticale qui passe par le centre perspectif.

Etape 3: Reprenez les étapes 1 et 2 pour l'extrémité droite de la maison.

Etape 4: Fixez la hauteur du faîte. Appe-lez H cette hauteur.

Etape 5: Tirez une droite qui passe par H et PFD. Elle indique la pente du faîte du toit. Le point d'intersection J est la hau-teur du pignon droit.

Etape 6: Achevez le pignon gauche (le triangle) en traçant les lignes e et f. Achevez de la même façon le pignon droit. Ombrez les deux.

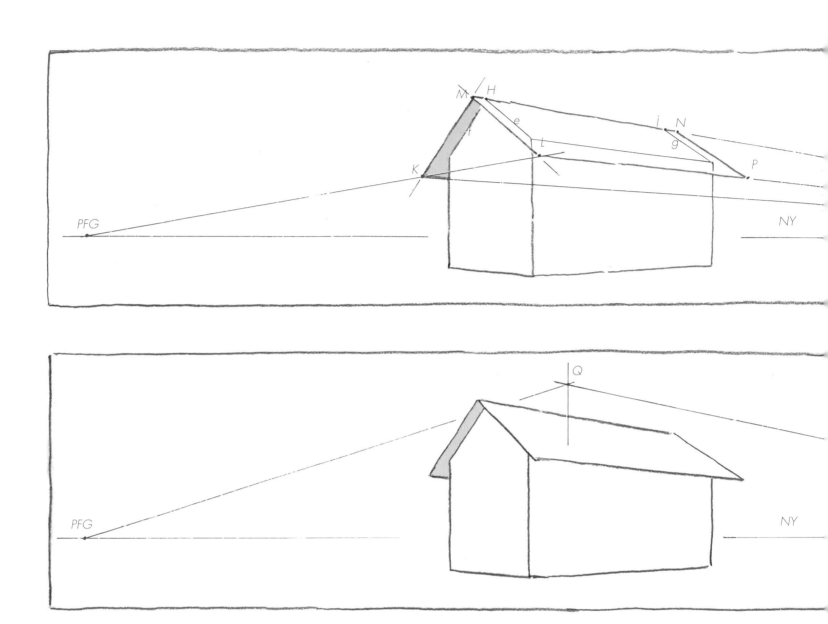

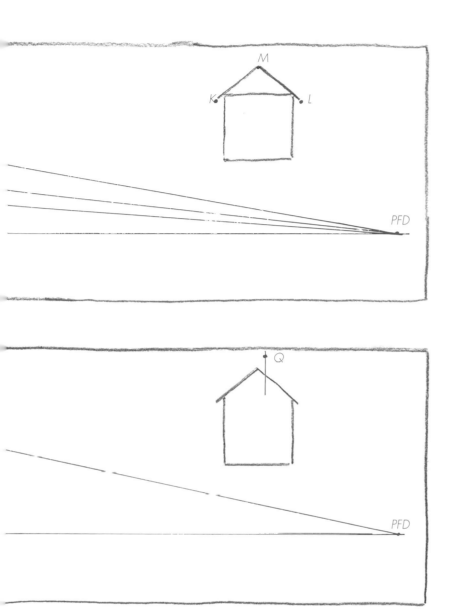

Niveau 4

Etape 1: Tracez les plans du toit. Pour ce faire, déterminez tout d'abord jusqu'où le toit doit saillir du bord de l'extrémité gauche du bâtiment et appelez ce point M.

Etape 2: Tracez la parallèle de f en passant par M. Ceci est la saillie la plus éloignée.

Etape 3: Fixez le point auquel cette saillie doit se terminer au-dessus du sol et appelez celui-ci K. Reliez K à PFD.

Etape 4: Tirez la parallèle de e en passant par M en descendant à droite.

Etape 5: Tracez une ligne de PFG au point K et prolongez-la vers la droite. C'est en L qu'elle coupe la ligne que vous avez tracée auparavant.

Etape 6: Reliez L à PFD. Vous obtenez ainsi la partie saillante qui est tournée vers vous.

Etape 7: Prenez l'intervalle entre M et H et reportez le même intervalle (ou un peu moins) du point J vers la droite pour aller au point N. Tracez la parallèle de g en passant par N. L'arête terminale du toit visible se trouve là où cette ligne coupe en P celle qui a été précédemment tracée.

Étape 8: Colorez si vous voulez le pan de comble (MLPN). Ombrez davantage le dessous de la partie saillante gauche.

Niveau 5

Etape 1: Installez une cheminée. Imaginez-vous la cheminée comme une boîte supplémentaire, plus petite et rectangulaire, en perspective, qui se trouve sur le toit. Tirez tout d'abord une verticale pour faire l'arête frontale de la cheminée.

Etape 2: Déterminez la hauteur de la cheminée en un point Q.

Etape 3: Tracez des lignes qui passent par Q et qui mènent aux deux points de fuite.

Niveau 6

Etape 1: Déterminez quelle épaisseur doit avoir chaque côté de la cheminée et tirez deux lignes verticales.

Etape 2: Supposons que cette cheminée doive être tout au bord du toit, le plus à l'avant possible, comme on peut le voir dans la coupe transversale.

Etape 3: Tracez la parallèle de l'arête frontale du toit en descendant de celui-ci et en passant par le point R.

Etape 4: Tirez une ligne du point d'intersection S au PFD. Maintenant vous avez votre cheminée. Assombrissez les surfaces frontale et latérale, l'une un peu plus que l'autre pour donner un peu de forme à cette cheminée.

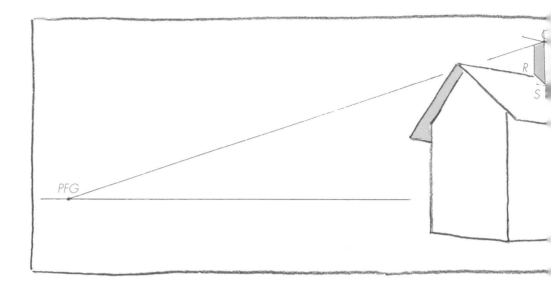

Niveau 7

Etape 1: Placez une porte dans le mur gauche de la maison. Pour ce faire, tirez tout d'abord une ligne du PFG au-dessus de ce mur de la maison pour indiquer la hauteur que doit avoir la baie.

Etape 2: Tirez deux verticales r et s, des deux côtés du centre perspectif pour déterminer la largeur de la baie. Pensez à ce que l'on doit voir davantage la baie à droite qu'à gauche.

Etape 3: Tirez une petite ligne de construction du point T à PFD pour montrer l'épaisseur de la baie et de la porte dans le chambranle.

Etape 4: Tirez la verticale w (cf. le dessin de détail) pour indiquer une épaisseur quelconque de la baie. Tracez la ligne y pour esquisser l'épaisseur du linteau (cette ligne devrait aller vers PFG). Ombrez les arêtes en retrait.

Etape 5: Dessinez une paire de fenêtres sur le long côté de la maison. Indiquez tout d'abord la hauteur des linteaux des fenêtres. Elle est souvent la même que la hauteur de la porte. Par conséquent, tirez une ligne de V à PFD. Vous avez maintenant l'arête supérieure des baies de fenêtres.

Etape 6: Fixez jusqu'où les fenêtres doivent descendre et tracez pour cela une ligne du PFD qui indique cette hauteur.

Etape 7: Tirez maintenant quatre verticales qui donnent les jumelles des baies de fenêtres. Placez-les où vous voulez.

Etape 8: Donnez de la profondeur aux fenêtres comme à la baie de porte. Ombrez les surfaces en retrait. Orientez-vous au dessin de détail en ce qui concerne d'autres particularités.

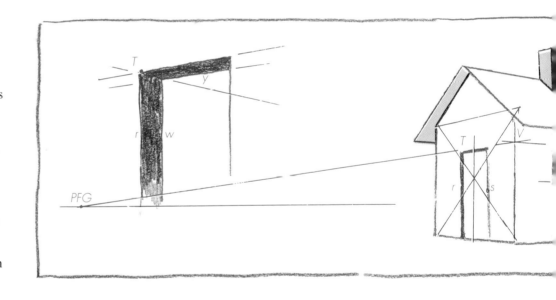

Etape 9: Gommez les lignes de construction et ajoutez ce que bon vous semble, par exemple plus de fenêtres ou une deuxième cheminée.

Etape 10: Quand vous avez tout réussi, servez-vous vous-même une part du gâteau!

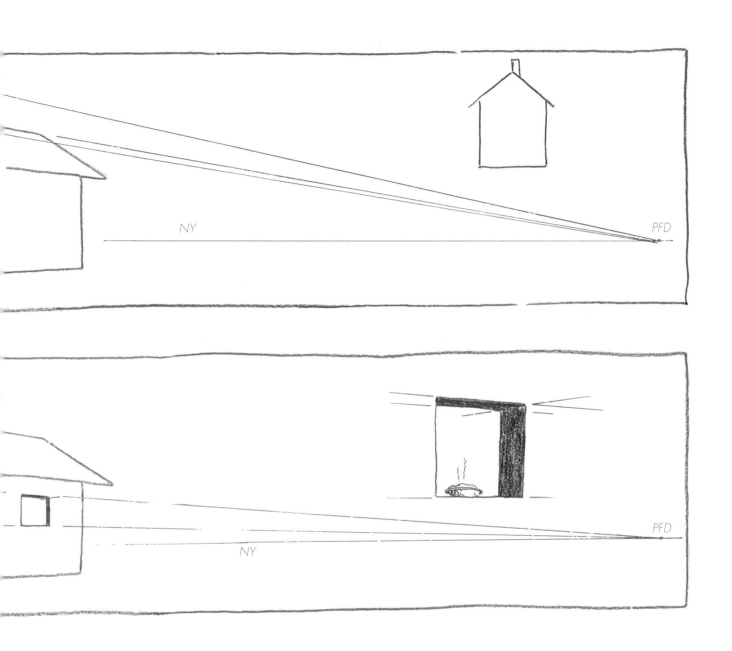

Beaucoup d'objets

Supposons que vous dessiniez tout un groupe d'objets, par exemple, les édifices d'une ville ou les différentes choses qui se trouvent dans une nature morte et que vous vouliez les dessiner exactement comme vous les voyez. La première chose que vous devriez faire est de fixer l'endroit à partir duquel vous voulez exécuter le dessin. Pensez à ce qu'un motif qui est dessiné ou photographié par deux personnes situées à peu de distance l'une de l'autre a une autre apparence. Il se passe la même chose avec quelqu'un qui, dessinant, ne peut pas se décider s'il doit s'asseoir ou rester debout. Vous devez décider de votre angle de vision et ensuite, vous y tenir. Cela concerne en particulier le niveau des yeux de l'observateur. Toute petite modification se répercute sur ce que vous voyez.

Après avoir déterminé le niveau des yeux auquel vous voulez dessiner un motif, le mieux est que vous tiriez une fine horizontale sur le papier pour mentionner ainsi où le niveau des yeux se trouvera dans le dessin. Puis, commencez à dessiner et rapportez toujours tout à cette ligne de niveau des yeux que vous avez reportée sur le papier. S'il y a une maison dans une vallée, au-dessous de votre niveau des yeux, elle viendra se coucher sur le papier en dessous de ce niveau des yeux et les lignes de ce bâtiment monteront obliquement, vers la ligne du niveau des yeux. Si, dans le même motif, une maison se trouve au-dessus d'une colline, elle sera, sur le papier, quelque part au-dessus de la ligne du niveau des yeux et ses lignes descendront obliquement vers la ligne de ni-

veau des yeux. Qu'en est-il maintenant des points de fuite de tous les bâtiments qui sont éparpillés dans toute la scène? Chaque bâtiment aura ses points de fuite propres, mais ils se trouvent tous sur la même ligne de niveau des yeux. Quelques-uns de leurs points de fuite coïncideront, tout dépendra de l'emplacement des bâtiments. Il se peut que quelques-uns n'aient qu'un seul point de fuite comme par exemple la maison du dernier exercice. C'est la perspective à un point dont on a parlé au chapitre 1. J'ai repris cette maison à un point de fuite pour calmer un peu la scène. Une impression de désordre peut être créée quand tous les objets d'un motif sont mis en perspective à deux points. La maison en perspective à un point offre un point de repos pour l'œil.

Exercice 7 / **Beaucoup d'objets**

Rassemblez quelques boîtes et imaginez-vous que ce sont des bâtiments. Mettez-en quelques-unes sur une table basse, quelques-unes sur le sol et quelques-unes sur une table plus haute. Placez-vous de telle sorte que le niveau de vos yeux se dirige quelque part entre les boîtes les plus hautes et les boîtes les plus basses. Esquissez la collection de boîtes après

avoir déterminé au préalable le niveau des yeux. Fixez avec soin les points de fuite de chacune d'entre elles. Tous les points de fuite doivent bien sûr se trouver sur la même ligne que le niveau des yeux même si quelques-uns tombent loin du dessin ou même loin de la pièce. On doit s'imaginer ceux-ci en plus,. Notez que vous pouvez pousser un point de

fuite plus près d'un objet en le tournant dans un autre angle de votre ligne de vue. Si vous mettez l'une des boîtes directement devant vous et que vous la voyez de face, un seul point de fuite sera alors présent et tout ce que vous devrez dessiner sera un rectangle.

Voici une scène avec des bâtiments dont les hauteurs sont différentes. A l'aide d'une règle, déterminez les points de fuite pour un bâtiment et inscrivez le niveau des yeux suivant leur position (peut-être devrez-vous ajouter un morceau dc papier supplémentaire à droite et dessiner à gauche dans le texte).

Localisez ensuite les points de fuite des autres bâtiments et vous constaterez qu'ils tombent tous au même niveau des yeux même si c'est avec quelque dispersion.

Observez aussi ceci: les points de fuite de quelques objets, comme par exemple, de la boîte aux lettres de travers et de la zone de toit oblique du hangar le plus proche ne se trouvent pas sur la ligne de niveau des yeux. Les lois que nous avons utilisées sont valables pour des objets normaux, des maisons impeccables – sols et surfaces de base, planes et parallèles au sol, les côtés verticaux. Si vous prenez un bâtiment qui glisse lentement sur une pente détrempée, tout cela n'est plus valable.

De tels bâtiments n'obéiraient à absolument aucune loi. Au cas où la boîte aux lettres serait bien droite dans le dessin de l'exercice, ce qu'elle faisait vraisemblablement avant qu'un de ces conducteurs du dimanche ne l'ait heurtée, elle obéirait aussi aux lois.

Mais il y a en effet des points de fuite parfaitement conformes aux règles qui ne se trouvent pas au niveau des yeux. Ils seront traités dans les chapitres du prochain manuel. L'exercice commence à la **page 92.**

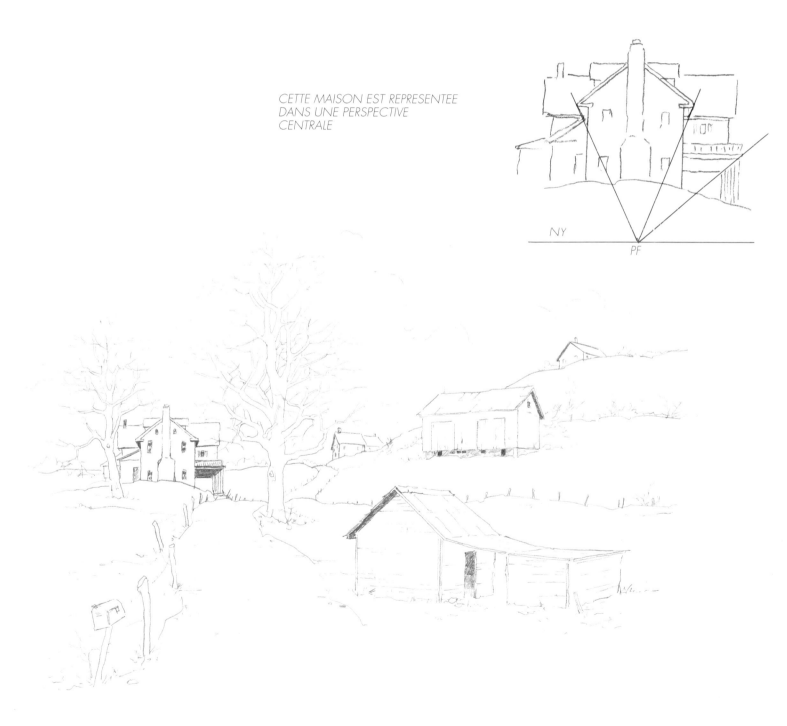

CETTE MAISON EST REPRESENTEE DANS UNE PERSPECTIVE CENTRALE